追悼アルバム

京子は今も私の心に

吉田邦郎　編

近藤博幸
近藤秀敏　監修
近藤清澄

文治堂書店

このアルバムは編集者の意向により
限定部数で出版されました。

まえがき

第1章　誕生から卒業まで
（1938～1962）

寄せる言葉

田口　聰（23）　功刀　弘（25）
宮崎紀美子（42）　森村昌子（45）
宇野小枝実（46）　高瀬文子（48）
大塚　シゲ（52）

第2章　吉田家の半世紀
（1962～2019）

寄せる言葉

高木　京子（80）
久木原香澄（82）　近藤敏彦（83）
林　美穂子（84）　近藤博幸（85）
近藤　秀敏（87）　近藤清澄（88）

あとがき

まえがき
――京子は今も私の心に――

京子!!　君が亡くなってからもう三年以上が経ち、令和三年の二月には僕は87歳になった。君の生きていた時には、この大きな家に僕一人だけ取り残されることになるなど考えもしなかった。君の残した大量の遺品や仕掛品、原材料（服地、皮、和紙など）は息子の哲郎、娘の純子と三人でだいぶ整理したが、まだこの家の中には至る所に君を思い出すものが残っている。

朝起きて服を着てズボンのベルトを締め、靴下を履く――革のベルトも毛糸の靴下も君の作品だ。リビングに入る――壁掛け、すだれ、置物、レース編みの花瓶敷き――、君の作品や君の嗜好で買ったものなどで今も溢れている。買物に行く――キーホールダーも小銭入れも君の作品だ。いや、和風のこの家自体が一級建築士山本富士雄君と君の合作のようなものだ。

思えば君と初めて会ったのは、昭和37年の春、井の頭線の久我山駅の近くだったと思うが、津田塾大・寮監の早川先生のお宅で君と君のお母上・文子さん、僕の母・信子の四人で顔を合わせたのが始まりだったよね。お袋は、付き合っていた彼女と別れて（別れさせられて）間もない僕に、また蟲が付かないか心配し、早川先生に渡りを付け、嫌がる僕を引きずるようにして出掛けたのだった。ぎこちなく座った四人を前にして、早川先生は雰囲気を和らげようとしたのか、一橋祭のときにストームと称し塀を乗り越え津田塾の学生寮前で騒ぐ一橋大寮生の無礼な振舞いについてお話しになった。両校は近くにあったからだ。通学生であった僕はこの連中とは縁の薄い存在だったが、僕は寮生を代表するかのように小さくなって先生の話を拝聴した。

それから、「二人で話合え」ということで、二人だけで早川邸を出て、まだ人家の疎らな周辺を散策したんだっけ。君の印象は「随分背の高い人だな」ということと、「お母さんは上品な人で、彼女も大人しそうで似た感じだ」ということだった。

実は当時28歳の僕は、大学や専攻学科についても、就職先についても当初の目的を果たせず、意に添わない大学や会社に入り、やり直しを経験した男だった。それ故に結婚だけは自分の意に添う女性を一回で決め、自分意志を通そうと決心していたが、母の反対が原因で破談となり、その痛手からまだ抜け出せない時にこんどは無理矢理にお見合いに引っ張り出されたのだった。

1962年11月、新婚旅行で九州を巡った。阿蘇山をバックに。

その春の午後、二人の散策時の話は何も覚えてないが、覚えていたのは二人とも「まだ結婚に乗り気ではなく、親にせつかれて来た」ということだけだった。早川先生に返事をする時、僕は当初お袋に「断ってくれ」と言い、お袋に泣きつかれた。子宮筋腫で二回も大手術をし、強気の母も気が弱くなりかけていた。長男の僕は当時の風潮からして「親の面倒は見なければ……」と思っており、「あのお母さんの娘ならお袋とも何とかやっていけるだろう」と思い、最後は根負けして同意することになった。君には「どうして僕を了承したのか」聞いたことはなかったね。いずれにしろ縁とは不思議なものだ。その年の11月6日に君と結婚し、それから54年余、色々なことがあったね。

最初は改築前の吉祥寺の家で、僕の両親と僕等二人にお手伝いの坪井則子さんとの五人暮らしで、君は二年ぐらい丸の内の永楽ビルにあった準国策会社「アラスカ・パルプ」でアラスカのシトカにある同社工場からパルプや木材を輸入するための外貨取得の仕事をしていたんだっけ。二人で朝、満員電車で東京駅までは一緒で、君は永楽ビルへ、僕は中央郵便局の隣りの東京ビルに通っていた。当時、シトカの工場には後に芥川賞を取る津田塾の先輩・大場みな子さんの夫君がいた。

仕事を辞めたら君は妊娠し、前回の東京オリンピックの開会式の始まる一週間前の昭和 39 年（1964）10 月 3 日に生まれたのが哲郎だった。甲府の浅川病院に僕が会いに行ったとき、君はベッドで、テレビの選手入場式を見ていたね。

開会式は 10 月 10 日の土曜日で、僕は土日に甲府に行ったんだ。哲郎の名は和辻哲郎やぼくの祖父斎木仙酔の連想で「哲」を採ってつけたが、それから四年後の六月に生まれた純子の命名には苦労した。高校時代に僕は堀辰雄が好きで「風たちぬ」や「菜穂子」にちなんで菜穂子にしようと提案したが、不幸だった菜穂子の名をつけることに君が反対し、六月生まれだから英語の june にかけて純子にしたんだっけ。

それから三世代六人と則子さんを加えて七人の大所帯となった吉田家の嫁として、君は生来の優れた才能を犠牲にして、よくも舅、姑や子供たちに尽くしてくれたと思う。古風な考えの母に流石の君も付いて行けないときもあり、何度か離婚の危機もあったけれども……。今の時代では「嫁という専業主婦が四六時中家を守る」などということは考えられないが、父七太郎が昭和 47 年に、母ノブが 59 年に亡くなるまでの 20 年間本当によく尽くしてくれたと思う。

凡庸で酒も煙草もやらず、麻雀やゴルフもやらない僕は、現場にはよほど不適格と思われたのだろう、海外出張は度々あったものの、憧れの海外派遣には一度も恵まれなかった。折からの日本経済の発展期で仕事は猛烈に忙しく僕は仕事に専念し妻子を顧みなかった。

父の死後、看病に最善を尽くしてくれた君が可哀想になり、パリとローマへの海外旅行に誘い出したのは、自由化されてから 10 年後の昭和 49 年のことだったね。初めての海外旅行とは思えない落ち着きでしっかりと名所を見て回り、すっかりヨーロッパに魅せられてしまったよね。また帰国後も、持ち前のすぐれた記憶力で立寄った名所旧跡をよく覚えていた。

はからずもこの旅行が、昭和 55 年夏の哲郎の欧州ジュニア・チェス選手権大会への参加のときに役立った。その前年の秋、麻布中学 3 年の哲郎は日本ジュニア・チェス選手権大会で優勝し、日本選手権者として三週間ほどヨーロッパに遠征することになった。高校一年になったばかりの少年には親の付き添いがなければ無理なのだが、僕は相変わらず猛烈に忙しく、三週間の休暇など論外だった。大会は二つあって、最初はフランスのルアーブル、二つ目はドイツのドルトムントだ。そこで思いついたのが、最初、僕がルアーブルまで彼を送ってゆき置いてくる。ルアーブルの大会が終了する前に君が同所まで行き、哲郎を拾いドルトムントに赴き二つ目の大会に出て二人で帰ってくる――というプランだった。

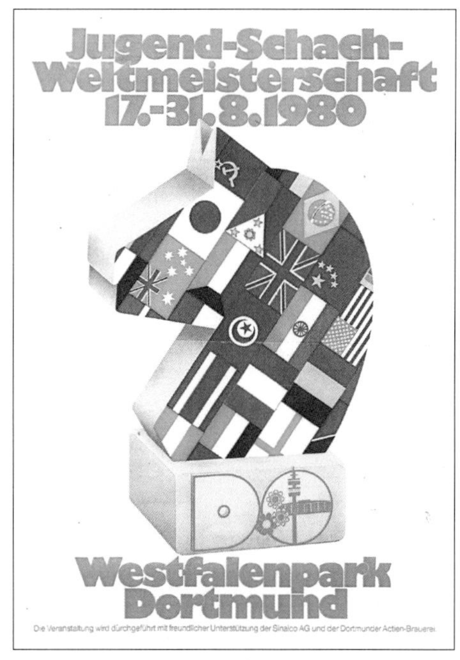

1980 年 8 月下旬、日本代表として長男哲郎が青少年チェス世界大会に参加した。ドイツ・ドルトムント会場のポスター

津田の英文科出の京子だから英語はできるが、なにしろ僅か二度目の欧州個人旅行で、ルアーブルにはパリから電車で、パリからドルトムントは空路の旅をしなければならない。携帯電話などない時代だ。僕は二人がうまく会えたかなどが心配で東京から帰路、一泊するホテル日航ド・パリに何度か国際電話をかけた。「案ずるより産むが易し」、二人で夜のパリーを楽しみ、その後のドイツも十分に楽しんで帰ってきたね。

この大会の出場者には、のちにグランド・マスター（将棋の名人に相当する）になった強豪が何人もいた。ソ連のゲーリー・カスパロフ、英国のニジェール・ショート、米国のジョエル・ベンジャミンなどだ。ことにカスパロフはソ連崩壊後、ロシアの大統領候補に選ばれ、ＩＢＭのディープ・ブルーとの対戦で話題になった。

さて君との話に戻そう。大人しいけど君は普段から肝が据わっていた。ご近所とのお付き合いでも、そのことが言えた。

わが家は昭和 11 年、親の代から吉祥寺北町の一角に住んでいた。核家族化が進行する以前のことで、若い嫁として君がわが家に加わった昭和30年代後半には近所にもそれ以前から母がご交際を願っていた二世代、三世代のご家族が何軒もあった。お隣りの飯島さん、お向かいの野村さん、斜め向かいの下村さん、東西に走る道路を挟んで二十メートほど先の石川さんや日下さんなどがそうだった。

そのうち、我々の親の世代と同年輩の下村さんのご当主、下村三郎先生は最高裁長官を務めた偉い方だった。私などは敬して遠ざかっていたが、物怖じしない君はこの上品なおじいさんと仲良くなり、野草を含む草花の趣味が一致し、語り合っていた。わが家には、下村先生が仙台高裁時代に手に入れ、君が頂いた萩が今も秋になると綺麗な花をつけている。

日下さんご夫妻は僕等より十歳ほど年上で、京子が嫁いできたのと同じ頃、吉祥寺に引っ越してこられたが、登美子夫人と君は一回りほどの年齢差にも関わらず、同じ嫁の立場で意気投合し、たちまち生涯の友となった。一方、朝から出勤する亭主同士は、日下氏に限らず隣近所に挨拶をするのみだった。夫君の日下孝之氏は後に農林中央金庫の副理事長から協同乳業の社長になった方だが、かみさん同士の仲は変わらなかった。平成の中頃、ご夫妻は住んでいた家を息子さん夫妻に譲り、直ぐ近くの新居に引っ越したが君は相変わらずお宅に入り浸っていた。話し好きな登美子夫人を相手に君はもっぱら聞き役で、話題は嫁の立場から姑の立場に変わって子供や嫁、孫の話ようだった。

平成24年、日下氏が89歳、老衰でお亡くなりになってからも、京子は登美子夫人の下によく通っていた。帰ってきて、夫人から聞いた優秀な二人のご子息のこと、その夫人のこと、お孫さんのことなどを話題にした。京子は元気だが、一方で喜寿を迎え心身の衰えを自覚しはじめた僕は、十歳ほど年上の日下さんご夫妻の成りゆきに、我々夫婦の将来を重ね合わせていた。

京子の家系は両親とも長生きの家系のようだ。ぼく等が新婚の頃、母方の祖父母は存命だった。祖母野口かのさんには僕も甲府で会っている。また岳父繁人は97歳、義母文子は95歳まで長生きした。

一方、僕の家系は父方も母方も短命だった。父が亡くなったのは71歳、晩年は病弱だった母が自殺したのは74歳の時だ。母は自殺なので参考にならないが、祖父仙酔と祖母ちせの享年を見ると仙酔は51歳、ちせは65歳で亡くなっている。という訳で、当時君より四歳年上の僕は自分が先に逝くものと信じ込んでおり、自分の死んだ後の君の先行きを心配していた。まさか元気な君が先に逝くとは夢にも思っていなかった。

君が亡くなってからの二、三年は時間に追われる日々だった。哀しみに加えて、やることが山ほどあった。大量の遺品整理もあったが、慣れない「没一」の生活の維持も大変だった。料理、洗濯、掃除、ゴミ出し、買物――。買物は食料品だけでなく台所や風呂場、お手洗などの洗剤、薬品、生活に必要なペーパー類など。君の存命中はふたりでうまく買物を分担していたね。庭の手入れや風呂洗い、君のメモを持って自転車で重い食料品を買ってくるのは僕の役割で、ぼくは結構「かみさんの手伝いをよくする亭主」のつもりだった。

源氏物語をはじめとする古典文学やパッチワークのサークルに加え、お習字、華道、木目込み人形作り、洋裁、革細工など君は多趣味をこなし、そのいずれにも秀でていた。習字、華道、木目込み人形作りなどには師範の免状を頂いている。そんな君は家事など楽々とこなしていると思っていた。「嫌いだ」と言っていた料理も、旬のものを手早く、手際よく調理して食べさせてくれた。彼女の分担だった買物も、けっこう重くて大変なことをやってみて初めて知った。君はよく僕を「呑気な父さん」と云っていたが、まったくそのとおりだった。

最近、知ったことであるが連れ合いに死なれた日本人高齢者の喪失感は一過性のもので（医師・辻川覚志氏の説）多くの人はその後、満足した独身生活を送っているそうだが、妻を亡くし何年経っても、妻恋しで寂しさを払拭できない男も居ることを知ってほしい。

君の遺体がまだ家にあったとき、津田の親友たちで作られた六人組、Ｌ．ＳＩＸ（エルシックス）のひとり、宮崎紀美子さんから以下の電報が届き、ぼくも思わず泣いてしまった記憶がある。

2002年9月8日、比叡山延暦寺にむかう山道にて。

近ちゃん
どうしてこんなにも突然逝ってしまったの……
淋しいです
いっぱい楽しかったね……
遠からず、私達も行くことになりますが
そちらでも仲良くしてね
ご冥福を祈ります

あれから、だいぶ月日が経ってしまった。遠からず、ぼくも逝くことになるだろう。宮崎さんが云うように「そちらで君と再び会える」ことを信じられたらどんなによいかと僕も思う。だけど君も知るように、僕は少年時代から神やあの世を信じられず、国際基督教大学を飛び出した男だ。尊敬する先輩や友人にはクリスチャンが多く、バルトやティリッヒ、ボンヘッファなどの神学者の著書を読み、西欧のキリスト教の文化にも直接触れてきたが、僕にはどうしても神や死後の世界を信じられなかった。そんな僕は仏教徒であるが、私淑する佛教学者・秋月龍珉は「中学一年のときに死んだ母は、今も私の心に生きている。霊魂はないが、『死者の想いが残る』と葉上照澄阿闍梨はいわれた」と述べ、葉上照澄師について書いている。

葉上照澄師は東京帝大の宗教哲学科を出て大正大学の教授となった人で、もともと僧籍の人ではなかったが、妻となった初恋の人を結婚後、僅か十年余りで亡くした。その悲歎が動機となり、比叡山で千日回峰業に挑み阿闍梨となった方である。

秋月龍珉も「釈尊は『後有を受けず』(死後の生はない)」と断じたのち、人は永遠に生きるとういう「想いの深さ」が残るとし、「キリストも、釈尊も、禅者巖頭も今に我々の心のうえに生きている」と結んでいる。

もうひとり、歌人で細胞生物学者の永田和宏先生の例を見てみよう。妻は河野裕子で、二人とも宮中歌会始めの選者を務めた著名な歌人だった。永田氏は朝日歌壇の選者を今も務めている。

2010 年 8 月に乳癌の再発で河野裕子は 64 歳で急逝した。享年 79 歳で亡くなった京子の 7 年前のことで、歳も京子より 15 歳も若い早世だった。河野の逝去前後の、おしどり夫婦の短歌は永田氏の著書『もうすぐ夏至だ』に多数ちりばめられている。ここでは永田氏の追悼歌一首と追悼文の一部を紹介する。

あなたにもわれにも時間は等分に残ってゐると疑はざりき

当然のことながら、私が先に死ぬことになっていた。まだあと十年くらいは二人一緒に、老いていく時間を楽しむはずだった。

大切なものは、失って初めてわかるものだ。己に残された時間も然り。家族とは何なのだろうと考えるとき、私には、時間を共有するものの謂いであるという思いが強い。

共有してきた時間は、二人で話題にしてこそ意味がある。半身を失ったようなという表現で伴侶を失う悲しみ言うことがあるが、それは、二人で共有した時間を強引に椀ぎ取られてしまうことによるのだろう。

永田和宏氏の悲しみは、十年以上経った今も消えていない。朝日歌壇の永田氏の選歌に、私は以下の短歌と批評を見出した。

2019 年 5 月 12 日

フリージア　母となりにし妻に買ひ　今は寫眞の妻に買ふ花

(大阪市) 末永純三

評：末永さん、亡妻追慕。子を生んだ日に妻に贈った花を今も
遺影に。

2021年2月7日

新しき暦に妻の誕生日　記しておけり妻亡きのちも
（小金井市）神蔵　勇
もう歳をとらない誕生日　うろこ雲浮く空が悲しい
（東京都）嶋田恵一
評　神蔵、嶋田両氏、もう齢を取らない妻の誕生日が悲しい。

新型コロナ禍騒ぎの中、京子の誕生日3月23日も過ぎ、桜の季節になってしまった。京子は花が好きだった。神代植物公園には年間パスポートを持って二人で何十回も通っただろうか。特に春は寒梅の季節から始まって、桜、牡丹、バラ、つつじなど観る種類が多く、桜は染井吉野のほか神代曙というご当所の新種がお目当てで、バラの季節には武蔵野バラ会々員の僕が植物会館でのバラ展出品を兼ねて出掛けたこともあった。吉田家宗旨と同じ天台宗で渋川真光寺とも縁の深い深大寺にも必ずお参りし、「門前そば」で天ざるを頂くのも定番だったね。

桜は神代植物公園だけでなく成蹊学園の桜祭、井之頭公園の池のほとり、国立駅前の桜並木、六義園のしだれ桜など……何処にもよく行ったね。泊まりがけでは河津の桜やつるし雛の見物にも。エルシックスの親友たちと福島、三春の滝桜見物に出掛けたのは亡くなる一年前だったっけ。君は福聚寺の門前で住職の玄侑宗久さんが庭掃除をしていたと云っていたね。

京都の桜や紅葉も何処でも見事だった。宝ケ池のグランドプリンスホテルを定宿にして法事を兼ねてよく行ったよね。僕のお気に入りの桜のスポットは大原三千院や東寺、極楽往生院などだった。

令和3年、今年の桜は早咲きで、四月初旬の朝、書斎の出窓を開けたらお隣の吉祥寺ナーシングホームの桜の花びらがちらちらとわが家に降り注いでいた。

早春に　出窓開ければ　花吹雪　妻を偲びて　しばし佇む

僕がこの歳になって初めて作った短歌だ。さらに庭の桜吹雪を見ていたら親鸞の次の一首が頭に浮かんだ。

明日ありと　思う心の　仇桜　夜半に嵐が　吹かぬものかは

京子の命日、7月27日には、何の花を飾ろうか。

完

甲府第一高等学校時代の正門・校舎

第１章　　誕生から卒業まで
(1938 ～ 1962)

母・文子に抱かれた京子　昭和 17 年（1942）頃
文子
大正 4 年～平成 23 年（1915.11.8 ～ 2011.3.29）

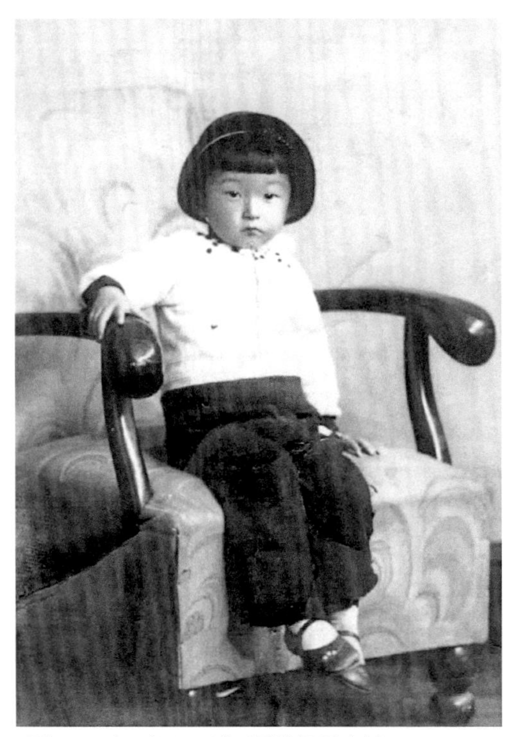

昭和 15 年（1940）頃滋賀県大津

赤ん坊の京子。成人した彼女は面長だったが、まだ丸顔、利発そうにみえる。

昭和 17 年頃

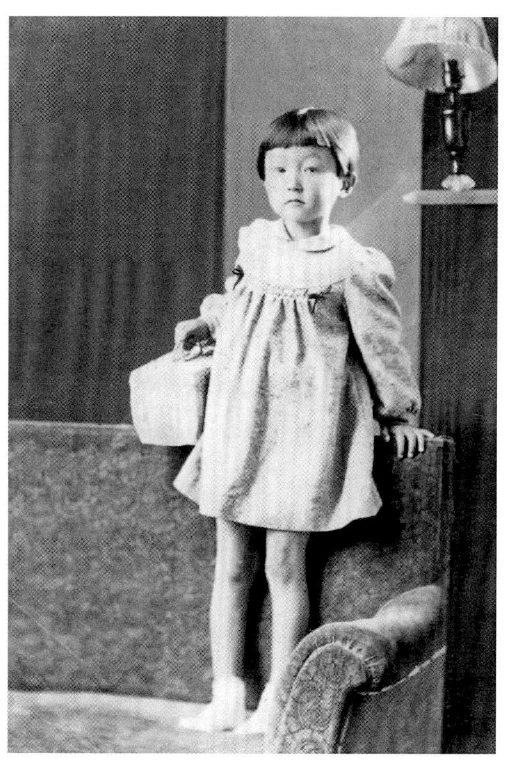

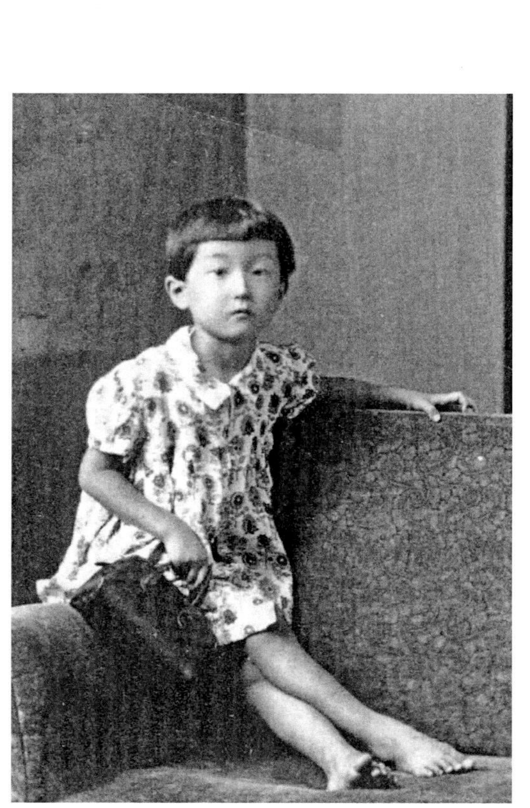

昭和 17 年３月 26 日　松林軒写真部、という刻印が左下にある。
前年 12 月に生まれた博幸の手をやさしく包む京子。松林軒デパート（甲府会館）内にあった写真館は空襲で全焼した。

ランドセルを背負う

昭和 19 年（1944）七五三のお祝い

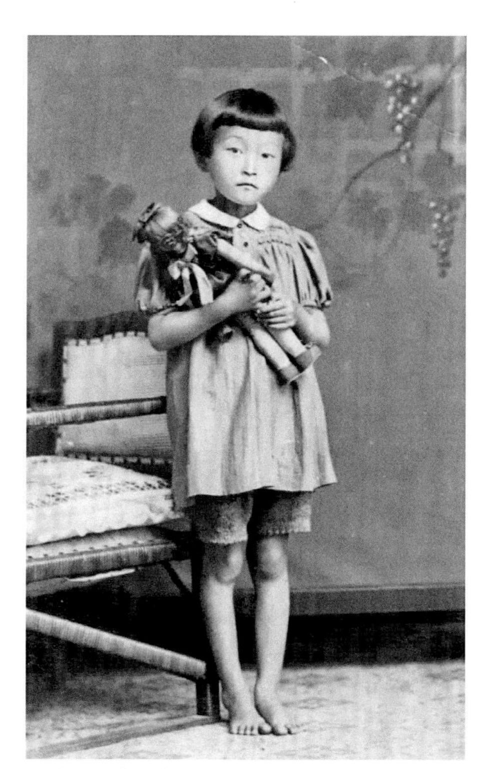

昭和 18 年（1943）頃

左から父・繁人、博幸（長男）、
京子、秀敏（次男）を抱く文子
武田神社か
昭和 19 年（1944）頃

父・近藤繁人
明治43年～平成20年
（1910.9.10～2008.2.28）

父と博幸

みたけ

近藤京子

10月28日のことでした。

その日は私たちのまちにまった遠足のある日です。朝からからりと晴れて遠足日和にもってこいです。私はおべんとうを背中にしょって学校にいきました。

みんなうれしそうに話に花をさかせていました。その話はみな遠足に行くみたけのことでした。まもなく整列して校門を出ました。

金子峠に差し掛かると、もうへとへとになってしまいました。それから少し休んでまた出発しました。おびな山までくると水たまりには、かにがたくさんいました。少しいくと道はわからなくなるし、途中から列がはぐれてしまったりしたのでとても困りました。あたりはしんと静まりかえっています。そして水は紅葉した木の葉を美しくうつしていました。又、風がふくたびに木の葉がはらはらとまいおちるけしきはなんともいえない美しさです。

ようやく皆をさがしだして道もみつかったので出発しました。少しいくと千代田村の学校がみえました。学校といってもふつうの二階だての家と同じ位の大きさですから、学校気分がでないようです。それからトンネルをくぐって、いよいよみたけにつきました。河原にあつまって遊んだり、おべんとうをたべたりしました。　少したって、せんが滝をみて、てんぐ岩の下を通って、しょうせん峡をわたって天神森にいきました。そこでは、ながとろばしを写生している人が多ぜいいました。少しやすんでバスでかえりました。あたりはもううす暗くなっていました。

功刀功様からお送りいただいた、昭和25年3月刊行の卒業文集『子供と共に』（相沢学級）に収められた京子の作文。前年の昭和24年10月の遠足の様子であろうか。
相沢晋夫先生に関しては73頁を参照ください。

前列左から６番目、洋装が山路春江先生、3列目右から７人目 近藤京子、８人目 野口和子、
２列目右から５人目 田口聰、９人目 功刀弘（1950 年４月）

女子だけの集合写真。２列目右から３人目 京子

弔　辞

田口　聰

私は田口と申します。京子さんとは小学校、中学校時代、同じ教室で学んだクラスメートです。

京子さん！ 貴女とは2017年4月15日に吉祥寺で手を振って別れたのが最後となりました。その時はすこぶる元気だったのに……。それから3か月半後の今日、このような形で再会することになろうとは夢にも思いませんでした。本当に悲しい。今はただ、ご冥福をお祈りするばかりです。

貴女とは貴女が山梨県甲府市、山梨大学附属小学校に5年生のとき転入してきて以来、その後進んだ附属中学校を含め5年間机を並べて一緒に学びました。当時としては珍しく男女共学でしたが、行動は殆ど男女別々でしたから、一緒に遊んだ記憶はありません。ただ貴女は当時からすらりと背が高く、整列すると一番後ろの方にいて目立ったこと、いつも爽やかな感じで利発・頭がよい少女だったいう印象が残っています。

大学、社会人になってからは、数年に1度のクラス会で顔を合わせる位でしたが、より親しくお付合いするようになったのは、平成になってこの5～6年のことです。未亡人となった中学時代の恩師・山路春江先生(91歳)が調布にお住まいで、そのお宅に年2回、春分、秋分の頃6人の仲間が集まり、ミニクラス会を開いていましたが、貴女は当初から紅一点として参加されました。大きな布の買物袋を持参して率先して駅前の成城石井で食料品を仕入れ、延々3～4時間の歓談のあとは、持参したエプロンで後片付けに孤軍奮闘……本当に頭が下がります。

帰りは方向が一緒だったので吉祥寺まで1時間弱、2人でお喋りをしながら帰りましたが、貴女は話上手で全く退屈しませんでした。色々な話題の中でご自身のことで記憶に残っているのは、「津田塾時代、寮で同室の方とはその後も親交が続いていること」、「息子さんが学生時代にチェスのチャンピオンになり日本代表として確かドイツの世界大会に出場したとき付き添って行ったこと」、「よく家に泊っていくこともあるお孫さんと遊びに出掛けること」、「京都での法事には決まって上洛すること」などですが、その会話の中で貴女は皆に暖かい愛情を注ぎながら幸せな家庭生活を送っているなと強く感じました。……そして4月15日のこの集まりが最後の日となりました。

この直前、4日前の4月11日は井の頭線池ノ上駅近くでの小学校クラス会でしたが、貴女は事前に女性にはがき、電話などで参加を呼びかけてくれ、当日も会計その他運営に協力してくれました。このように縁の下の協力を自主的にしてくれたことが、盛会になった一つの要因だと感謝しています。

後日譚があります。

このクラス会は在住者6割となった東京で開催されたので、参加の意思はありながら身体の具合の悪いため出てこられない甲府の女性がいることを知った貴女は、6月中旬彼女に連絡して甲府まで会いに行くと伝えたそうですね。それがきっかけで話が発展し山梨在住者全体の「ふる里クラス会」が甲府で7月16日に開かれることになりました。しかし6月下旬、貴女は体調不良で出席出来ない旨はがきで連絡しました。

「折角声を掛けてくれたのに欠席とはどうして」と仔細を知らない皆が不思議にそして残念に思ったそうですが、会は貴女が不在のまま在住者11人中10人と殆ど全員が参加して予定どおり盛会裏に終了したそうです。

最初に呼びかけた時期は受診、入院する10日ほど前ですから、ご自身も体調不良は感じていたに違いないと思うのですが、それにも拘らず友人に示した心配りを知り、貴女の友人を思いやる暖かい心に感動しました。こんなことは京子さん、貴女しかやれない。

今日から約1か月半後、9月秋分の日に、調布の恩師宅で次回の中学ミニクラス会が決まっています。いつも貴女が掛けていた椅子に、貴女の姿が見られないと思うと非常に寂しくなります。しかしクラスメートの心の中に貴女のことはいつまでも刻まれているでしょう。どうぞ安らかにお眠りください。

（平成29年7月31日）

（山梨大学付属中学校同期生）

京子さんとの思い出の記

功刀　弘

私は昭和22年7月に旧満州から引き揚げてきました。南アルプスの麓の小学校に四年生で転入し翌年の4月に山梨大学付属小学校の五年生に編入学しました。この学年だけは相沢普夫先生担任の一クラスだけでした。48人のクラスが8人の編入で56人の大クラスとなりました。その時の8名は男子が佐々木、桜井、志賀、土屋、田村と私の6名、女子が京子、美子の2名でした。この8名が付属中学に進学した時に女性2名と田村、土屋と私がC組となりました。三年間クラス替えがなかったので京子さんとは五年間、同級生として一緒でした。大学生となった昭和31年の春、近所のC組の寺田孝夫君の家に入学祝の誘いがあり、寺田君の姉と兄の仲間と共に集いました。京子さんの他生涯の友となった田口、田村、足立と契子さんも集まりました。

56名のうち音信不通の2名と、亡くなった14名を除き40名の仲間がいます。社会人となり多忙のために久しく開かれなかった相沢学級のクラス会が、皆40代前半(1979年)になった頃から数年ごとに始まり、すでに中学のクラス会もC組では続いて始まったので毎回出席の京子さんとは2、3年ごとに会う機会ができました。

相沢学級のクラス会は1979年から2001年まで6回続き、相澤先生は2005年に亡くなられました。1986年には小中学校のひと時在籍していたハルン君が母親の里帰りでインドネシアから甲府に家族ともどもやって来ました。35年ぶりに相澤先生ご一家と皆を交え甲府のホテルで再会しました。

1997年5月、相沢先生から木喰の話を聴く会が湯村ホテルでありました。前年に奥様が亡くなられて意気消沈している折、先生を励ます会でもありました。京子さんは同級の明子さん、喜代子さんとは特に仲良しで喜代子さんのお宅に泊まることもありました。しかし10年前に喜代子さんが亡くなったことで甲府に泊まる足掛かりを失くして、その失意を明子さんから聞いていました。

中学のクラス会も2012年まで続きましたがその後は数人の個別の交流となり、小中のクラス会、京子さんはそのいずれにも殆ど欠かさず参加し、しかも受付と会計処理などを几帳面にしてくれるので大いに助かりました。

少人数の集いをここ数年は春と秋に中学の山路春江先生(91歳)宅に集まり2017年春には痛飲歓談の時を持ちましたが、今年の4月が京子さんとの最期となってしまいました。これ等の会合にいつも会計など庶務的な手伝いの中心に京子さんがいて、小集会の時にはエプロン持参で、まるで母親的存在が続いていました。

相沢学級の東京在住者が多いので田口君の音頭で2015年から毎年春に錦糸町の近くのホテルで集まるようになり、私がその集いの写真入りの報告文を仲間に送っていました。それに対しての返礼がいつもまず京子さんから届きました。2017年からは井の頭線の池ノ上駅近くと場所が変わり、その時も私の写真文にメールの返事が届きました。以下はそのやり取りです。

ＩＰＡＤから送信……

4月27日付「4月11日のクラス会の折には大変お世話になりました。出席の皆さんも喜んでいらしたようです。お忙しいところ、写真とクラス会の報告をお送り頂きありがとうございました。来年は80歳記念の集いですね。みんな元気でお会い出来ますように！　吉田京子」

2017年には同級生の訃報が続き、その連絡にも必ずメールでの返事が届いた。

ＩＰＡＤから送信……

4月27日付「メール拝見しました。富久子さんのご逝去のこと、突然のことで、驚きと悲しみでいっぱいです。友達が逝ってしまうのは寂しく悲しいことですね。心からご冥福をお祈り申し上げます。　吉田」

ＩＰＡＤから送信……

5月23日付「悲しいお知らせに驚きました。テニスのラケットを手にした石井さんのお元気な姿が目に浮かびます。やはり病気には勝てないのですね。寂しい限りです。心からご冥福をお祈り申し上げます。　合掌　吉田京子」

京子さんは小学時代の集まりが東京で続き車椅子となって参加できなくなっている契子さんのことをいつも気にかけていました。その京子さんが契子さんに会いに甲府に来るとの話から、契子さんが「ふるさとクラス会」を計画しました。京子さんと契子さんの企画という事で山梨在住の仲間11人中体調不良の一人を除いて10名が7月16日に富士屋ホテルに集まり、皆が集い始めたころ声掛けの京子さんがいないことに、私は京子さんからの葉書を回覧して理解を求めました。その時に体調は既に重大な状況にあったのでしょうが、楽しみのクラス会の初めに「はがき」の文面以上のことは差し控えざるを得ませんでした。

（はがきの文）

メールありがとうございました。今回のお話は契子さんが発案なさりクラス会となったようです。私も是非参加したいと思っておりましたが残念ながら出席できなくなってしまいました。申し訳ないのですが突然の体調不良となり入院しております。腸閉塞ということですが七月一六日には甲府へは行かれません。折角、クルマでお迎え下さるとのことですが勝手で申し訳ありません。失礼お許し下さいませ。乱筆にて　取り急ぎ　吉田京子

当日の写真の中に京子さんがいないことが寂しい限りです。この10日後にお別れの時が来るとは、あまりに早い旅立ちにご冥福を祈らずにはいられません。

（邦郎コメント　功刀氏の追悼文にある京子のはがきは六月三〇日に武蔵境の日赤で彼女が「あと一月余りの命」と死の宣告を受けてからベットで書き、日赤の玄関前にあるポストに私が投函したものである。）

4月11日 最後に参加されたクラス会 左端が京子さん

大学構内の官舎（1955 年 1 月 1 日）

父・京子（高校生）・秀敏（中学生）・清澄（小学生）
大学構内のテニスコートで（1955 年頃）

後列 良幸さんの母・美智子さん、
京子（次女）・佳子（長女）を抱く伴良幸さん
左の男性は不明

佳子さんと（大塚の伴さん宅にて）
1956 年頃

京子さんを抱く京子

文子さんの妹、美智子さんの子供
従妹にあたる京子、佳子（伴さん宅）

トウモロコソ畑を背に大学構内の官舎
（1955 年頃）

次男秀敏と

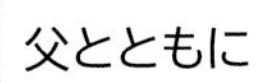

父とともに

京都　渡月橋を背に（右端）

貸切バスを背に（前列左）

高校２年・甲府一高の修学旅行

奈良公園にて

昇仙峡への遠足　前列左（1955 年 5 月、高 3）

甲府一高正門にある「少年よ大志を抱け」
の碑を前に　右端

友人たちと　後列左

山梨大学の官舎前
三男清澄と（1954）

毎年秋に全校いっせいに挙行される甲府一高の年中行事（強行遠足）。
南アルプスを望み里山が広がる長野までの道を徒歩で赴く。
（1955 年？）

中学時代のクラスメートと母校・会議室の前で　前列左から３人目（1957 年１月２日）

言忠信
行篤敬
昭和三十一年元旦
雨宮重治

甲府第一高等学校校歌

一
甲斐の國　み中に建ちて
古へゆ　雄心つたへ
新らしき　世の鑑とし
勉めてむ　この学びやに

二
日に新た　また日に新た
いや高き　のぞみをもちて
真なる　理きはめ
励みなむ　若人われら

山梨県立甲府第一高等学校の「卒業アルバム」より（1956 年）

津田塾大学へ入学

Miss Hartshorn（1860 ～ 1957）

津田うめ（梅子）先生（1855 ～ 1929）

津田塾祭（1956）

昭和７年（1932 年）に津田塾大学の新校舎が東京・小平に完成した。その建設に津田うめ（梅子）と共に尽力した親友アナ・C・ハーツホンの名を冠して、寄宿舎を併設した新校舎はハーツホン・ホールとよばれている。隣接する東寮、北寮、西寮、白梅寮のうち、京子は四年間を北と東の寮で過ごした由である。梅子は落成の三年前に亡くなりその墓はキャンパス内にある。京子とはすれ違いだったが、二年上級には邦郎の従妹の喜多嶋美枝子（岡山出身、旧姓高浦）が寮生とした在籍しており、母の言いつけで邦郎も何度か美枝子を寮に訪れていた。

津田塾大学　本館　正面

旺文社の蛍雪時代、昭和 31 年 10 月号に載った。（撮影：近藤博幸）（1956 年 7 月 20 日）

仲良し四人組、右から二人目（1957 年）

大学一年　北寮の食堂にて（左より二人目）

受験票

No. 581

志望学科 英文 学科

氏名 近藤京子

数学	一般数学	解析Ⅰ	解析Ⅱ	幾何
理科	物理	化学	生物	地学
社会	一般社会	人文地理	日本史	世界史	時事問題

出身高等学校山梨県立甲府第一高校

（県立・私立とも府県名を入れる）

津田塾大学

（1956 年）

友人たちと（前列左）

大学正面玄関右横

グラウンド内の桜並木の下で　前列右

津田塾大学　本館　正面玄関

平和祈念像

浦上天主堂（左端）

大浦天主堂（右端）

友人宅を訪ね６人で九州を巡る旅　長崎（1957年２月）

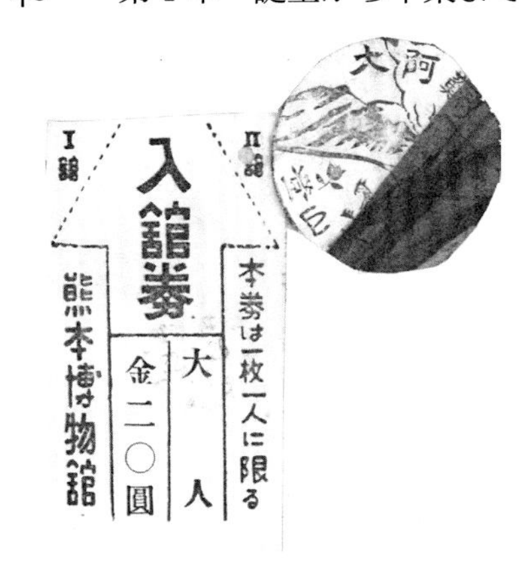

熊本城（左）

猿に似てるんですって、失礼シチャウワ

水前寺公園（前列中央）

大分・熊本（1957 年３月）

栗林さんと　オサルサンもいっしょに。高崎山にて
（添付の文は京子本人のもの）

同室の４人で大菩薩峠頂上にて　前列左　近藤京子、右 荒川さわ枝
後列左 宮崎紀美子、右 宇野小枝実（1957 年）

仲良し４人組
津田塾大学　北寮玄関前にて 左端
（1957 年１月）

近ちゃんのこと

宮崎紀美子

近ちゃんの思い出を書く？　何で？……いまだに近ちゃんがこの世に居ないということが、どうしても腑に落ちません。

ここ数年、年に一度、二泊三日の旅を共に楽しんできましたが、普段は関東と関西に離れていましたので始終顔を合わせていたわけではなく、今度も、またいつも通りの笑顔で「そうなんだヨ！」と相づちを打ってくれるはずの近ちゃんが当たり前のこととして存在しています。

でも……本当に、何処かへ逝ってしまったのね……

近ちゃんとは、津田の二年生の新学期、北寮の四人部屋の仲間になりました。一年生の時は、同じ北寮でも一階と二階だったので、挨拶を交わす以外は親しく口をきくことは皆無だったと思います。それが部屋替えで石川、臼井、近藤、山本の四人（吉田注：順に結婚後は宇野様、宮崎様、吉田、荒川様）で一年間を過ごすことになります。それは　楽しく、面白い日々でした。そして生涯の友達付き合いの始まりでした。何しろ「箸が転げても……」のお年頃、はしたなく笑い転げながら、色んなことに四人で挑戦しました。

授業の始まる前に、ひろ〜〜い体育館の掃除（雑巾がけバイト）を引き受けたのはよかったですが、朝、ギリギリまで寝ているものですから、どたどたと地響きを立てて体育館に走り込み、授業開始直前に何とか間に合わせ、大汗をかいて出ると既に体育館前に待っている同級生に「どうしたの？」と不審がられたものです。

当時、育英会の補助を受けて、生活に余裕のない学生も寮生の中には結構いましたので、一日の食費は 70 円（確か国分寺駅前のラーメンが 30 円か 35 円でした）、その中で工夫される献立ですから、美味しいとは到底云えません。私達は進んで献立係に立候補して、その係につき何とか少しでも美味しい味に近づけるメニューを、と頭を絞ったものです。

甲府のお宅に四人で泊めて頂いて朝食直ぐに、今日は昇仙峡、明日は大菩薩峠と遊び歩いて夕方帰ってきますと、お母様のお手込みの夕食、随分ご迷惑をおかけしました。その折のお母様の本当にお優しいおもてなしに感激すると同時に、いささか驚いたのは、寮の部屋では、いつもニコニコと「そうだね、そうだよ」と殆ど自己主張することの無かった近ちゃんが、三人の弟さん達にピシッと姉貴の威厳を見せていたことです。矢張り生涯穏やかな中にも、きちっと筋を通すといった姿勢は甲府の地でお父様お母様によって育まれたのでしょう。

今年の旅を計画したら、そこに近ちゃんの姿が在るのが、どうしても当然と思えてしまいます。でも、それはもう幻なんですね……。近ちゃん、いろいろと有難うございました。　　　　　津田塾大学同期生（平成30年5月29日）

宮崎紀美子様宛、邦郎礼状

拝啓　梅雨入りし紫陽花の季節になりました。今年も例年のように、わが家の庭にはとりどりの紫陽花が綺麗に咲いています。京子が生前していたように仏壇の前に飾る花も薔薇からアジサイに変えました。武骨な私には華道の心得のある彼女のようにうまく生けられませんが…………。

十日ほど前に貴女様の追悼文、落手しました。大変ありがとうございます。京子への哀惜がこもった文章で、彼女が亡くなった翌日の夜でしたか、わが家に最初に届いた貴女様の弔電を思い出しました。

近ちゃん、どうしてこんなにも突然逝ってしまったの……淋しいです。いっぱい楽しかったね……遠からず、私達も行くことになりますがそちらでも仲良くしてね。ご冥福を祈ります

あの晩、息子が品川の自宅に帰り、わが家にひとり取り残された私は彼女の遺体の傍らでこの弔文を読んで貴女の悲しみに共鳴し思わず慟哭しました。「ちょっと前まで、あんなに元気だったのになぜ」、「せめて女性の平均寿命ぐらいまでは」、「いや、せめてお友達との白馬の旅行が終わるくらいまでは」などと脈絡もなく色々な思いが錯綜しました。

私は京子より四才年上です。それに近藤家は長寿の家系です。義父は百歳近い長寿を保ち、義母も九十五歳まで長生きしました。それに比べ、私の父母も祖父母も

短命でした。てっきり彼女より先に私は死ぬものと信じ込んでいました。「まさか俺より先立ってしまうとは……それに6人組エル・シックスの中で君が一番若かった筈なのに……君なしで俺はどうやって生きていけるんだ」、こんな思いが心をよぎり、未だにぽっかりと空いた心の傷を埋められずに過ごしております。

晩年のわれわれ夫婦はお互いに支え合って本当に仲良く生きてきました。結婚してからずっと私の両親と一緒に暮らしてきました。私の母は気性の激しい人で、おまけに「嫁はその家の家風に従うべき」という古い観念の持主であり、何かにつけ彼女の行動を束縛し、若い頃はおとなしい彼女もさすがに我慢しきれず、離婚の危機もありました。私は母と彼女の間に入って苦悩しました。よく辛抱してくれたと思っています。でも父母が他界し子供たちが成人し家を離れてからは、二人で平穏に幸せに暮らしてきました。時々、国内や海外の旅行も楽しみました。彼女が居るのが当たり前で、空気みたいな存在でした。

去年の6月末、彼女が突然日赤に入院した時には、お向かいのお宅の玄関わきのノウゼンカズラが橙色のきれいな花をつけていました。そして亡くなった7月27日には沢山の花すべてが地面に落ちていました。今年も変わらずこのノウゼンカズラが多数の花をつけています。綺麗なのに私はこの花がきらいです。他の樹木に付着して延びる蔓性の植物であることもその理由のひとつですが、椿のように花がポロポロと落ちてしまうのに何か不吉なものを感じていました。予感は的中し、玄関を出ると、いやでもこの花が目に入ります。そしてその度に彼女の死を思い浮かべてしまいます。　不一

平成30年6月15日　　　吉田邦郎

アラスカパルプ勤務のころ

荒川さわ枝

しらじらと明ける朝方ふと目覚め思います。コンちゃんはもういないんだ、と。

コンちゃんとは津田塾大学の北寮で一年半、そして卒業後は荻窪の天沼で一年間同室でした。この下宿先の須田義一様宅では八畳一間に布団を並べて二人きりの生活でした。二人とも初めての慣れない社会人生活に一生懸命でした。

コンちゃんは東京駅近くのアラスカパルプ勤務、中央線の通勤は大変なラッシュでひどいものでした。コンちゃんは特許関係の仕事に携わり、毎日分厚い茶封筒を抱えて特許庁に往復されていたようです。帰宅後の二人の夕食でもその日の仕事の話題でもちきりでした。一万円余りのお給料から月五千円の下宿代を二人で払っていました。新卒での就職、58年前のこんな記憶の中でコンちゃんは今も若々しい乙女のままです。

コンちゃん、これまでの友情に「ありがとう」。そしてしばしの「さようなら」です。いずれまた魂の世界でお会いしましょう。合掌

(2017年　秋)

荒川さわ枝様、邦郎礼状

拝啓　バラの季節が終わりに近づき、紫陽花が咲き出す季節となりました。何種類かあるわが家のアジサイも青、赤、白とそれぞれ綺麗な花を付け出しました。去年の今頃は、京子はまだ元気で玄関や居間の花瓶に紫陽花の花を飾っていたっけ……などと、何かにつけ五十年以上連れ添った妻の思い出に耽ってしまうこの頃です。

さて、追悼のための文章、お贈り下さいまして有難うございました。貴女様と彼女の二人が天沼の須田さんのお宅に下宿していた頃は、私と彼女の婚約時代でした。当時、貴女様とは一度もお会いしていませんが、須田の小母さんとは私も何度かお会いしており、実は貴女には内緒にしていたのではないかと思いますが、貴女のご不在のとき一度か二度、お二人のお部屋に招き入れられたこともございます。当然、

アラスカパルプでの勤めの話は勿論、貴女様のことも話題になりました。静岡の女子高ご出身であること、東レにお勤めで同僚とご結婚なさることなどです。

書簡にあるように、津田塾の学生時代に貴女方四人が北寮で同室になったことがご縁で生涯の親友となり、6人組のエル・シックス形成に繋がったのですね。また同封して頂いた古い手紙三通も私にとっては有り難く、行間には涙が零れそうになるほど懐かしい彼女の性格が表れていました。ご承知のように一通は国際郵便で貴女様ご一家がジャカルタ赴任中のもので、恐らく三十年近く昔の手紙です。中に京子の山梨大附属中学時代のインドネシア人の友人ハルン君の話が載っているのには驚きましたが、貴女とも知り合いだったのでしょうか。

あとの二通は彼女の母親文子の葬儀や墓参りなどの話で、私も彼女と一緒に何度も京都に出掛けました。文中にあるように義母は95歳まで長生きし、義父も98歳までの長寿を保ち、近藤家は長寿の家系だと私は思っていました。それに比べ吉田家は短命で両親とも七十数歳で亡くなっています。小生は京子より四才年上です。従って私は、当然彼女より先に死ぬものと信じ込んでいました。そして私が死んだあとの彼女のことを心配していました。まさか、あんな形で私より先立ってしまうとは…………。それにエル・シックスの中で彼女が一番若かった筈です。三月に生まれ現役で津田に入った彼女はよく「入学したとき、学校中で私は一番若かったのヨ」と冗談めかして云っていました。凡夫の私は仏壇の前で「あと十年は生かしてやりたかった」、「いや、女性の平均寿命ぐらいまでは生かしてやりたかった」とか、「いや、せめて白馬への旅行ぐらいは行かせてやりたかった」などと今も無言で寫眞に語りかけています。

そんな折、遺品を整理していたら新しいウオーキング・シューズが出てきました。きっと皆さんとの白馬へのご一緒の旅行を心から楽しみにしていたのでしょう。

追悼集は必ず完成させてお届けする所存です。気長にお待ち下さるよう、お願い申し上げます。

本書がやっと出来上がり、寄稿頂いた方々にお送りしたところ、宇野様からの返書に、荒川さわ枝様の寄稿文が脱落している旨の指摘を受けました。仰天したのですが修正のしようがなく、弥縫策(びほう)としてこのような補遺の形で本に差し挟む形式を取りました。荒川さわ枝様には心からお詫び申し上げます。吉田　　(2021年9月)

弔　文

森村昌子

吉田邦郎様

京子様が七月に永眠とのこと先月末に友人から伺いました。本当に突然のことで、びっくりしております。御主人様はじめ御家族皆様のお嘆きはいかばかりかと心からお悔やみ申し上げます。津田キャンパスからずっとお近くにいらして、本当におやさしく心のこもったおつき合いの中で、この度しばらくご無沙汰の二年を過ごしてしまいました。

信じがたいお別れに胸のつぶれる思い出おります。ようやく一年の療養の後、暖かくなりましたらとお会いできる日を信じておりましたが、ご不幸のことも存じませずお別れのごあいさつにも伺えず、失礼しました。

日々寒さ厳しくなります故、御主人にはさぞご落胆とお疲れでいらっしゃることとお察し致します。どうぞ呉々も御自愛下さって京子様のご冥福を祈って上げて下さいませ。取り急ぎご弔問申しあげます。ご冥福を祈りつつ。　かしこ

平成 29 年 12 月 6 日（津田塾大学同期生）

津田塾大学の前庭

弔　辞

宇野小枝実

近ちゃん（旧姓は近藤のため、彼女の愛称）全く突然に一体どうしたの、どこへ行ってしまったの？　この数日、私の時間も止まってしまいました。今もまだ信じることが出来ません。

6月7日に新しく建てられた銀座SIX 13階でお食事しましたよね。

貴女はいつもよりずっといい顔色でにこやかに　そして「とてもおいしい」をくりかえして話していらっしゃいました。あれから一か月もしない内に病状が悪化してこんなことになるとは！

銀座SIXの地下に出来た能舞台にご主人様と二人で鑑賞にくると話されて大勢で地下まで能舞台見学にいきましたね、このプランも実現しないまま……むなしいです。

思えば六十年前、津田塾大学の北寮に入り、出会えた事が私達の幸運の源であり、まだまだこれからも続く友情と思っておりました、甲府にお邪魔して大菩薩峠に四人で登りましたね、フクちゃん荘も横切りました。

まだ学生運動のくすぶりもないよき時代でした、堅実でやさしいご両親、三人の弟さん達という家庭の中でひかえめでおだやかであまり自己主張もせずに、でも上品にこまやかな心遣いを忘れない方でした。大学時代はよく勉強しましたね、あの努力がその後の人生の支えになったことはいうまでもありません。

ご結婚後は優秀なお子様方を育てあげ、今は五人のお孫さん達にも恵まれ　幸せそのものの日々でしたのに、温厚なご主人様とお二人の平穏な日々をもう少し楽しんでほしかったです、私達LADY・SIXもLADY・FIVEとなりさみしくなりました。

私の趣味にすべて同調して下さり歌舞伎、長唄、そして海外、国内の旅行、観劇などすべて御一緒に楽しむことが出来ました。近ちゃ！　たのしい事をいつも一緒に行動して下さって本当に有難うございました、御世話になりました。今、この場に貴女がいない事が本当に残念です、

京子様　どうぞ安らかにお眠り下さい。　宇野小枝実

宇野小枝実様より書簡　(平成30年4月30日)

吉田 邦郎 様

早や五月をむかえんとしています。突然彼女がいなくなってから十ヶ月、ぽっかりと私の心の中に空洞ができ、うめられない寂しさをひしひしと感じております。空気のような 存在だった気がします。追悼集の件、数名にお伝えしてあります。実は年末以来椎間板の異常で歩行に支障をきたし、返信も遅れてしまいました。お詫び致します。

私は弔辞を載せていただきますように絶筆となった京子様からの手紙を同封いたします。(後述) 東京北部の消印に不思議を感じながらも入院中とは思えず、ジパングで購入したものを他人は使えないとお返ししたのでした。最期まで細かい気遣いの、やさしい人でした。一生の親友でした。ずっとご冥福を祈っております。

平成29年6月7日の夕方、銀座ＳＩＸ 十三階、山の上で天ぷらのコースを食べたのが最後でした。幸せそのもののおだやかな顔つきでした。その日歌舞伎座からずっとご一緒しました。私のお弟子さんたちも同じ気持で驚き信じられないとの思いでした。大勢で、ご冥福を祈っております。

どうぞ　御身体　御自愛ください　　　　　宇 野

宇野様宛・京子の書簡

「梅雨にぬれて紫陽花が美しく眺められます。この度は楽しみにしていた白馬の旅に参加できなくなり申し訳ありません。突然の体調不良となり困っております。やはり夏は苦手です。同封の指定席の券は誰かお使い下さいますように、知らない人が真中に来られるのは大変不都合かと思います。どうぞよろしくお願いいたします。

七月九日、十日、十一日が晴天に恵まれ、みなさま楽しい旅をなさいますようお祈りします。かしこ　6月28日

宇野小枝実様　　　　　　　　　　吉田京子

(邦郎コメント)

彼女は白馬への旅行を心から楽しみにしていた。遺品を整理していたら彼女のお気に入りの靴店 REGAL SHOES の新しいウオーキング・シューズが出てきた。

京子さんの思い出

高瀬文子

京子さんと言えばまず彼女の穏やかな笑顔が目に浮かびます。それぞれ吉祥寺、西荻窪と家が近かったので、時々東急デパート辺りでぱったり出会いました。「あら、こんにちは！」と声をかけあい近況を報告し「じゃあ又ね、お元気で！」とあっさり別れました。お互いに忙しいし、又いつでも会えるという気持でいたからです。

京子さんはすらりと背が高く、いつも品の良いワンピース姿でした。大変手先が器用で、ご自分の洋服はすべてお手製と聞いてとてもびっくりしたことは忘れられません。ときたま美しいエプロンや可愛いポーチをいただきました。忙しいのによく作る時間があるな、とその出来栄えに感心しながら嬉しくいただき、今も大切に使わせていただいています。今となっては彼女の大切な思いでの品々となりました。

京子さんと親しくおつきあいするようになったきっかけは、大学四年の夏の北海道旅行でした。京子さんと北寮で同室だった石川（宇野）小枝実さん、臼井（宮崎）紀美子さんに誘われ、紀美子さんと同じクラスだった私と山岡操さんが加わり、五人でユースホステルに泊る貧乏旅行でした。それでも若さ故の笑いの絶えない楽しい旅でした。次は卒業直前の九州旅行でした。前半は別府から高崎山、宮崎の青島海岸と快調でしたが、後半の熊本に入った時に私が高熱を出してしまい、その後は紀美子さんに移してしまったようで、長崎では二人枕を並べました。幸い義兄が医者で結婚したての姉と佐世保に住んでいましたので、私達二人を佐世保に残して元気な三人は先に帰りました。

卒業後それぞれ就職しましたが、京子さんと私は就職先の職場が丸の内で近かったため、時々お昼休みに会っておしゃべりしていました。その後それぞれ皆結婚し、しばらくは会う機会がありませんでしたが、一度紀美子さんの世田谷の社宅に集まったことがあります。京子さんは三才位の哲郎君をつれていらっしゃいました。何と賢こそうなお子様だろうと感心したことを憶えています。

数十年が経って、それぞれ子供達も巣立った頃、京子さんのお宅が新築された折、

長崎国際文化会館屋上で
“眠そうな顔してるわ”“夜行の疲れでしょう”（京子）

崇福寺　県営バスで長崎市内を巡る（昭和32年2月）

私達学友もランチに招いていただきました。美しい純木造のすばらしいお宅に目を見張りました。名のある建築家の設計と伺い、さすが！　と納得しました。日本建築が大好きな私には、あこがれのお宅です。その際京子さんのお母様をお見かけしました。控えめで上品な素敵なお母様でいらっしゃいました。

2010年は母校の創立110周年で、更に私達には卒業50周年にあたります。50周年記念同期会を盛大にやろうと前々から小枝実さんから聞いておりました。彼女から、自分が幹事を引き受けるから協力してね、と言われました。それからの約一年、京子さんも私も何回、千駄ヶ谷の同窓会館に通ったことでしょう。まず同期全員に通知を出し、出欠の大体の人数をつかみ、会費の設定、二次会の会場の交渉・決定等々、仕事は多く、いつも7～8名が集まり、賑やかに、てきぱきと仕事を片づけてゆきました。苦労の甲斐あって、当日は全国から80余名が集まり大成功に終りました。同期会はこれで終了とし、これまでたまった会の剰余金20万円は母塾の飯野学長に皆の前で直接寄付金として渡しました。

これからは気の合う人同志、いつでも会えば良いということで、北寮の同室4人にプラス操さんと私の計6名で年一回位の小旅行をすることになりました。女性6人のグループなので、レディーズ六名からL6と呼んできました。駒ヶ根二泊に始まり、高遠の桜、足利フラワーパークの藤、水上温泉、伊豆長岡等、毎回最高の旅を楽しみました。毎年旅の一ヶ月前位になると、私は京子さんに電話して吉祥寺の「みどりの窓口」で待ち合わせ、一緒に切符を買うのがいつのまにか習慣となりました。その後スタバでコーヒーを飲みながらおしゃべりをするのが楽しみでした。

今も吉祥寺を歩いていると、ふと京子さんが現れるのではないかと錯覚することが多いです。ああ、もう京子さんはいないのだと思うとさみしさに胸が痛みます。

津田塾大学同期生　(平成30年5月24日)

高瀬文子様宛、邦郎礼状

拝啓　薔薇の季節も次第に終わりに近づき、紫陽花の花がほころび始める季節となりました。

丁度、一年前の5月30日は、妻京子と二人で彼女の育った甲府へ一泊二日の小旅行に出掛けた日です。石和に泊り、小松ばら園でバラを見学し、武田神社にお参りし、甲府の彼女が住んでいた辺りを散策し、サドヤでフランス料理とワインを楽しみ帰ってきました。彼女はすこぶる元気で二人とも幸せでした。一か月後に起こる急変の予兆は全くありませんでした。

さて、この度はお忙しい中で、京子への追悼文を認めて頂き誠にありがとうございました。京子の手製の品々のお話や津田塾大学のエル・シックス形成に至る話など、思い出深い話にも、つい、しんみりとなりました。また、綺麗な手書きのお手紙にも感服いたしました。確か貴女様は成蹊学園の上条信山先生のお弟子さんと伺ったことがあるような気がしますが（間違ったらご免なさい）、流石です。実は老生も遠い昔の中学時代に信山先生に習字を習ったことがありますが、恥ずかしながら未だに金釘流の悪筆で、手紙はすべてパソコンに頼っています。ご無礼お許しください。

また、貴女様は四半世紀ほど前に建て替えた和風のわが家にお出でになった折りの話をなさっておいでですが、設計したのは、成蹊高校で小生の一年後輩で幼なじみの山本富士雄君という建築士です。京都のお寺が大好だった京子は（二人であちこちのお寺を見て歩きました）和風住宅の建築様式にも詳しく、わが家は彼女の趣向で彩られています。設計時に最初は老生に相談していた山本君は何も知らない私にあきれて、その後はもっぱら彼女に相談して出来上がったのがわが家です。近くに居りながら私は高瀬家の正確な場所を知りませんが、お宅のご近所に同じく山本君が設計した成蹊の同輩・小美濃基二君のお宅がある由、生前家内から聞いております。

追悼集の完成の折には必ずお届けする所存です。どうか気長にお待ち下さるよう、お願い申し上げます。　敬具

平成30年5月31日　　　吉田邦郎

思い出が私の宝石

大塚シゲ

何人にも生涯に珠玉のような思い出の一つや二つがあるとするならば、私の場合はその一つが大学での寮生活である。寮は、何も知らない田舎者で、しかも我侭一杯に苦労もなく育ち、初めての上京が受験の時というお上りさんが、世の中というものを少し知り始めた場所であった。できるだけ多くの友人、知人を得たいと思い、一年ごとに新しい組み合わせの同室者を得て、四年間の寮生活で多くの良き友、敬愛する先輩たちなどと知り合うことが出来た。訪ねてくる同室者の友人が、また更にこちらの友人になるのである。

実に有意義かつ、得難い経験をした日々であったと今更に思われ、感謝することしきりです。

吉田京子さんは同室ではないけれど、今は無くなった木造の小さな北寮で二年間ともに過ごし、また同クラスであったので、いつも「近ちゃん」と呼ぶ、親しい間柄であった。彼女は決してお喋りではなく、物静かで、そしていつも少しはにかんだような微笑みを湛え、誰に対しても優しく親切、温和な人でした。何故かいつも二階の小さな洗面所で一緒になることが多く、そこで少しお喋りをするのが常でしたが、山梨出身でお父上が大学の先生、葡萄が名産、等々話は尽きませんでした。帰省すると何時も美味しい甲州葡萄を分けて下さるのも嬉しかった。

三年になると、北寮から大きい東寮か西寮に移るのが習わしで、この時近ちゃん、並びに同クラスで仲良しの北見さんと三人部屋で同室することになった。

小樽出身の北見信子さん（結婚後は小林姓）は、近ちゃんに負けず劣らず優しい温厚な人で、実に和気藹々とした和やかで幸せな一年間であったと懐かしく回想する。特に国分寺か吉祥寺の映画館に一緒に行ったこと、新宿の紀伊国屋書店に行くと必ず中村屋でカレーを食べたこと等々が、ささやかながら贅沢な思い出であり、また寮に遅く帰り、食べ損ねた昼食、夕食などをいつも親切に取り置いてくれたことも忘れがたい。

卒業後約三十年経った1994年の11月、突然近ちゃんから電話で、北見さんが亡くなったとの知らせに驚愕した。ご主人はかなり前に病没され、二人の男の子供達と暮らしていたはずであった。ただ、何かにお誘いしてもいつも断られていたので、もしかすると何処か具合が悪かったかもしれない、と今にして思われる。

とるものも取り敢えず二人でお通夜に出かけた。驚いたことに親族席が中学、高校生ぐらいの二人の男のお子さんだけであった。見かねた近ちゃんは「私たちも親族席に座りましょうよ」と言って、さっさと息子さん達の傍らに座り、最後まで私たち四人が親族として亡き友の棺をお護りした。翌日、お葬式に行くと三、四人ほどのご親族らしき方たちがいらっしゃり、ご子息達にも改めて励ましの言葉をかけることもできた。俄か親族となったあの時の近ちゃんの瞬時の決断を、亡き北見さんも喜んで下さったと思われ、その後も折に触れて思い起こすのである。

たまに近ちゃんに会うと、遺された北見さんの子供たちの話も出た。あれから二十余年……お二人とも元気でお幸せに暮らしていらっしゃることを願うのみである。

つい最近のことであるが、私たちの「津田ふれあいネットワーク（大学同窓会の自主グループ）」の会員でいらっしゃる同窓の大先輩、田沼さんが散歩中に足を大怪我なさって、その住所が近ちゃん宅と割合近くであることに気が付いた。さっそく近ちゃんに電話をしたところ、直ぐに先輩宅を訪ねて、買物その他いろいろと親切にお世話をしてくださった。「寡黙で静かで派手ではないけれど、心の中はいつも温かい春風が一杯の人！」それが敬愛してやまない同窓生の一人近ちゃんのイメージである。

近ちゃん、今は肉体の苦しみもなく、忙しい家事もなく、静かに休息できる天国でゆっくりと、安らかにお休み下さい。津田塾大学同期生（平成30年5月28日）

（大塚様からの前文）

前略　ご葬儀の節は大変ありがとうございました。その後のご無沙汰をおゆるし下さい。駄文ですが、宇野さんを通じてのご依頼で、筆をとらせていただきました。ご遠慮なく手を入れてくださいませ。時節柄、梅雨も近く、ご自愛下さいませ。

かしこ　　吉田様　　大塚シゲ

大塚シゲ様宛、邦郎礼状

大塚シゲ様

拝啓　紫陽花がきれいな季節になりました。二、三日後には梅雨入りし鬱陶しいお天気となりそうな今日この頃です。去年までは、和風暮らしのわが家では、衣替えに加えて床の間の掛け軸や台所入口の暖簾を夏仕様に変えたり、リヴィングから前庭に出る窓辺には風鈴を吊るすなど妻京子は大忙しでしたが、今はそれをやってくれる人もなく、寂しい限りです。

ご丁重な京子への追悼文、先週末に落手しました。大変ありがとうございます。貴女様のお名前は、私も時々頂く彼女へのお手紙で認識してはいましたが、面識がなく葬儀にもお出で頂いた由ですが、大勢の弔問客にまぎれご挨拶もしませんで失礼致しました。

追悼文、読ませて頂きました。承れば津田塾時代、貴女も寮生だった由、通学生で大学時代に真の親友を作れなかった私にはうらやましい限りです。五十年以上連れ添った彼女から断片的には聞いていましたが、貴女様や宇野さん、宮崎さんなどの話を繋ぎ合わせると、二年生のときには、北寮で宇野（石川）、宮崎（臼井）、荒川（山本）の三姉とご一緒で、三年の時には貴女様と北見（小林）さんと彼女の三人がご一緒だったのですね。

薄幸だった北見さんのお話については、京子から何度も聞かされていました。「ご本人自身も、若くしてご両親に先立たれ、津田塾一年生の夏休み、（確か北海道出身の彼女は帰省できず）甲府に帰省した京子の下宿を訪ねてこられたこと」、「ご主人にも先立たれ、ご本人までも若くして、お子さんを残して亡くなられたこと」などで、余りにもお気の毒な生涯に妻も何かの折に触れ、小生の記憶にも強く焼きついていましたが、「お通夜の際、貴女様とふたり、親戚の席に坐った話」は知りませんでした。もう成人なさっているでしょうが、お二人の息子さん、本当にどうなさっているのでしょうね。お幸せを祈りたい気持です。

「ふれあいネットワーク」の田沼祥子さんも、ご近所でお名前だけは知っていました。小生にも大いに関係のある方なので少し触れます。彼女は現在確か九十歳で小生が中学、高校を過ごした母校・成蹊学園の小学校を卒業、戦時中に都立十三高等女学校（現都立武蔵高校）から津田塾大学の物理化学科を出て岩波書店の編集者をなさっていた方です。確か津田で先輩としての講演をなさる予定だったのに足に怪我、講演がキャンセルとなり、そこから貴女のお手紙にあった家内への電話連絡があり、家事を少し愚妻がお手伝いしたという話でしたね。

田沼さんは旧姓を鎮目と云い、いずれも旧制成蹊高校から東京帝大で医学博士や理学博士になった飛びきり秀才の三兄弟（いずれも故人）をお持ちです。私は、このうち末弟の鎮目恭夫先生とは少し話をしたことがあります。彼は理研の岡小天先生と一緒に著名な量子物理学者シュレーディンガー（「シュレーディンガーの猫」で有名）が著した『生命とは何か』を訳された方で、この本は出版当時、物理学者が生物の本（負のエントロピー）を書いたことで話題になり、今でも分子生物学の古典として岩波文庫に収まっています。

また田沼さんとは、家内が他界してからの後日談があります。妻に先立たれて私にとって一番大変だったのは三度の食事でした。妻の生存中からわが家では朝はパン、昼は麺類、夜だけはご飯という食生活で、家内の死後もこれを踏襲してきました。しかし、だんだんに面倒になり、思いついたのは道路を挟んで我家の南側に吉祥寺ナーシングホームという老人ホームがあり、昼は500円で外部の人にも昼食を提供していることです。今年の三月頃からは面倒なときには此処で昼を済ますようにしましたが、しばらくして、耳が遠いのか大声で知人と話をしている老婦人に気付きました。話の内容から田沼祥子さんだと判り、自己紹介をしました。そのときの田沼さんのお言葉はつぎのようなものでした。「まあ、貴方が吉田京子さんのご主人なの。彼女は突然現れて天使みたいにやさしく助けて頂いたのに、突然居なくなって、どうしたのかと思っていました」……。

今でも彼女とは「わだん苑」という食堂でよくお会いして会話を楽しんでいます。

（後略）　敬具

平成30年6月5日　吉田邦郎

注：北見さんについて、「両親に先立たれ」と書いたのは私の記憶違い。後ほど頂いた大塚様の書簡で彼女の母上が医師の後添えに入られた由を知った。恐らく義理の父上や兄弟がいる？　ご家庭に帰りにくいことや小樽までの汽車賃が高額であった経済的理由もあったのかもしれない。いずれにしろ京子から肉親の縁に薄い方で早世した方であること」や、「夏休みに甲府の京子の郷に突然訪ねてこられたこと」など何度も聞かされ強く印象に残っていた。

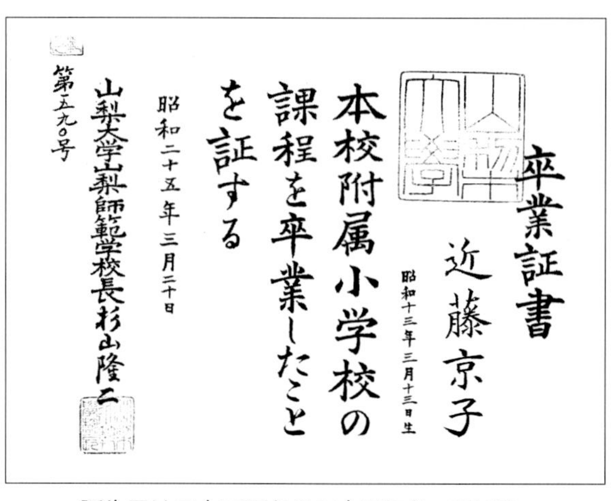

卒業証書

近藤京子

昭和十三年三月十三日生

本校附属小学校の課程を卒業したことを証する

昭和二十五年三月二十日

山梨大学山梨師範学校長杉山隆二

第五九〇号

誕生日は二十三日なのに十三になっている。

賞状

附属中学校 一学年

近藤京子

特選

君は本会主催の第五回県下学生書道展覧会の審査に於て頭書の成績を得たので之を賞すると共に今後の努力を期待して止みません

昭和二十六年一月五日

山梨大学学芸学部 師範学校 青年師範学校 学友会会長杉山隆二

後援

教育庁
甲府市
山梨日日新聞社
山梨書道協会
山梨書道教育研究会

京子は幼いころから書道が優れていた。

第 2 章　　吉田家の半世紀
（1962 ～ 2019）

京子のほうが少し背が高くこの写真では靴を脱いでいる

如水開館での結婚式当日 津田塾大学の友人たちと。（1962 年 11 月 6 日）

新婚旅行では九州を巡った。（1962 年 11 月）

都立多摩動物公園　京子と哲郎（1966 年 11 月）

哲郎を連れて甲府の実家へ帰省。母文子、弟三人と。（1967 年３月）
京子の後ろ 次男 秀敏、隣り 三男 清澄、右端 長男 博幸

（1968 年）

七五三の祝いに
（1969年11月）

自宅の庭で（1970 年）

哲郎と純子と京子
武蔵野の自宅前で
（1971 年１月１日）

凱旋門を背に
パリにて
（1974 年 4 月）

コロセウムを背に
ローマにて
（1974年4月）

長野県霧ヶ峰高原（1977 年）

同上
（1977 年）

公園の巨大
チェス広場

京子の入館証

ドルトムントにて
（1980年8月）

大会のレセプション会場にて（1980年8月）

吉田哲郎君

一九八〇年チェス世界大会出場記念

飛び超される歩に気をつけなさい。　伊丹そよあき

哲郎君の高祖父鈴木仙酔翁の好着に「西哲極意　江原東大先生存」ありければ

ヨーロッパに触れてきて下さい。　龍谷

将来への布石となるよう青春の一ページをかざって下さい　半田孝一郎

東哲に世は一夏の棊なりけり

勝つと思うな 思えば負けよ　小島雄渊

頑張って下さい　根本文夫

静かな闘志に期待します。　山岡幹郎

K. Mashiko

平野博志

健闘を祈る　大賀毅

楽しい旅をして下さい　山領健二

木村準

秋山眞児

白日華恵に向ふす　勝敗不二而不二　山岐修

立山和彦

藤田雅一

不屈の魔胸を!!　広瀬武夫

日本には将棋あり、を伝えて下さい。　土沢偉夫

洞山一局棋　岸田正吉

勇而好問者勝　近藤なお　加藤史郎

勝負は勝つのみ　水田秋彦

小竹広孝　原昔豊

さわやかな東風を!!

ガンバレ哲郎　吉田義人、西口晴通

いとおかしきの若き　宇野氷上　くま廣

FRANZ MARC 1880-1916

DEUTSCHE BUNDESPOST 30

17.-8.1980

Jugend-Schach-Weltmeisterschaft 17.-31.8.1980

Westfalenpark Dortmund

4600

両親想いの姉は、毎年何回も京都に来ていました。
みんなでワイワイ食事をするのが定番でした。
春は桜、夏は祇園祭と大文字、秋は紅葉の季節に訪れ、大好きな両親と京都観光を楽しんでいました。（清澄）

京子の両親が住む京都岩倉三宅町を訪問。隣には三男清澄君が住む。
前列左から繁人、孫の洋子・直子、文子。後列中央は清澄君。（1987 年 11 月）

（右）スペイン トレド市街
（1993 年 11 月）

（下）後輩の日航マドリッド支店長に会うという名目で定年の１年前に海外旅行をする。左より京子、邦郎、娘の純子、友人の外務省研修生。アルハンブラ宮殿を背に　（1993 年 11 月）

イタリア周遊の旅。アッシジの聖フランシスコ大聖堂。田川幸雄神父と（1995 年 3 月）

ヴェニスでゴンドラにのる（1995 年 3 月）
その他ラベンナのダンテの霊廟、フィレンツェでの赤屋根のドゥオーモ、ヴェローナで
ロミオとジュリエットの家などを見学

大学で航空輸送論を講じていた邦郎がロンドンでは航空輸送発達史の古書を探すため、ベルギーでは航空自由化を進めていたブラッセルのEC（EU）本部を見学することが主目的で訪れ、ついでに京子とロンドン市内とブルージュを観光。

（上）ロンドン塔を背に

（下）ベルギー　ブルージュにて
二人だけの海外旅行
（1995年10月）

タイ　チェンマイ成蹊会での旅行
　邦郎の成蹊高校バレー部の友人・梅林正直君（元三重大学農学部教授）は定年後、タイの少数民族（麻薬になるケシの栽培で生計）の殖産に梅を自費で栽培、1年の半分はチェンマイで暮らす。其処へ友人たちが夫人同伴で押しかけた。　　（1996年2月）

インドネシア　デンパサール　宇野さんの友人たちと。
中央の京子の左は宇野小枝実さん。　　　　（1986年11月）

沖縄　壺屋(金城次郎窯)那覇国際通り（1996年2月）

京子は沖縄が好きだった。1972 年私の関連事業室への異動が契機であった。沖縄が本土に返還され、南西航空（現トランス・オーシャン航空）が発足した年だ。

日航那覇グランドキャッスルホテルもできた。景気は良く日航は関連事業に乗り出し、邦郎は沖縄担当だった。1975年には海洋博もあった。閑散期に京子を沖縄に誘ったのがきっかけで、何度も首里城や国際通りなどを見学し、彼女は沖縄通となった。

特に壺屋・金城さんの竈とグランドキャッスルの近くにある城間さんの紅型がご贔屓で「だちびん」や紅型の布地など小物を買って家に飾り楽しんでいた。

（上）トルコ　イスタンブール　スイソテルホテル　（1997 年 3 月）

（下）エフェソスの遺跡　（1997 年 3 月）

大分　富貴寺にて、
夫婦で九州旅行
（1997年２月）

韓国　慶州、成蹊会での旅行（1997年９月）

前列左から2人目、京子　中央相沢先生(1998年1月)
湯村温泉、甲府・冨士屋ホテルでの祝賀会。

１９９７年（平成９年）　１１月３日

勲五等双光旭日章

相沢　晋夫氏

「身に余る光栄。大勢の人の指導と助言に感謝したい」と喜びを語る。一九三八年に教員になり、伊勢小(甲府)など四校の校長を歴任して退職するまでの四十年間、教育一筋に過ごした。退職後も、甲府市や県の社会教育委員として活躍した。「四四年からの二十年間、山梨大付属小で教育研究に没頭したことが財産となった。受章を機に新たな気持ちで社会教育に取り組みたい」と話す。甲府市天神町一四ノ三九。78歳。

津田塾の友人たちと。後列左より 荒川さん、高瀬さん、森村さん
前列左 宇野さん　右 京子（1999 年１月）

京都　上京区　晴明神社（1999 年 11 月）

ワシントン　ホワイトハウス前　ダラスに留学していた哲郎を訪ねる途時(1999 年 11 月)

南ドイツを巡るラインの旅。ローテンブルグ行きの船上にて（2002 年 8 月）

（上）福島県　三春の滝桜　津田塾の友人と。（2002 年 4 月）
（下）水戸偕楽園　桜と梅の季節は毎年夫婦で花狂いでした。（2002 年 2 月）

長男哲郎の家族とスカイツリー展望台にて
前列、左から京子、啓志（次男）・智志（長男）後列、理恵・哲郎（2016年４月）

-----------------アルバムの終わりに----------------

京子との最後の海外旅行は金婚式を祝ってのドナウ河の船旅だった。

平成24年（2012）10月25日に航空機でブタベストに飛び、其処から客船セレナーデ号でドナウ河をライン、マイン河方面へ遡りウイーン、プラハを巡り11月５日プラハからチューリッヒ経由で帰国するという長旅だった。その間、船から降りブタペストの夜景やプラチスラバやメルク、バッサウ渓谷、ウイーンの観光なども含まれていた。

何といっても素晴らしかったのは西北のライン方面に遡る船から見られる両岸の景色で京子は十分に楽しんでいた。残念ながら私は途中で風邪を引き十分に楽しむことができなかった。

またお会いする日を楽しみに

高木京子

京子さん　突然の訃報信じられない気持ちです。

最近何年かお会いしませんでしたね。成蹊学園の会がここ数年休止になり旅行の計画がなくなり、お会いすることがなくなりましたね。

もう20年以上前のことです。初めて成蹊の旅行でお会いした時の印象をよく覚えています。まず名前が京子と同じ名前でとても光栄に思い、このような素晴らしい方と同じ名前を付けてくれた両親に心ひそかに感謝したものです。背が高くスラりとして、頭脳明晰で博識がおありで世の中のことに万事詳しく、ご自分の意見をしっかり持っていらっしゃる、そういう方でした。

ホテルで同室になりお互いにご挨拶しましたらすぐ化粧ポーチのようなものを取り出しなさり「よろしければ、使って下さい。手作りなのです。」とおっしゃり手のひらサイズの小袋を手渡されました。昔の着物の友禅のような紫色の柄のとても素敵な作品でした。今も大事に使わせていただいております。

旅行中にはいろいろ、それぞれの家庭のことなど話し合い、ご子息様、お嬢様のご様子などお話になりました。良妻賢母でいらっしゃり、雛人形を手作りなさったお話や源氏物語の講義を聞いて勉強なさっていらっしゃること、家の玄関に岩谷堂箪笥を置いてインテリアを楽しんでいらっしゃることなど楽しいお話をなさいました。また私が京都のひな人形に興味をもっていることをお話ししますと、京都にご一緒して人形店をご案内してあげます、とお話くださいました。今になって、一度ご一緒して京都の町々をそぞろ歩きし、ひな人形を見て楽しんでおけば良かったとつくづく思っております。

そちらの世界ではどのようにお過ごしでいらっしゃいますか。多分美しいお花に囲まれて明るい笑い顔で青い空を見上げていらっしゃるのではないでしょうか。そんなご様子が想像されます。またお会いする日を楽しみにしております。

（平成30年4月12日）

（高木さんは邦郎の高校時代・バレー部で一緒だった高木健君の奥様、バレー部の仲間は社会人になってからも毎年一回、夫婦同伴で旅行し、夫人同士も親しくなっていた。

特に高木夫人とは同じ京子で、ダブル・キョウコなどと呼ばれ親しかった。なおご夫君は二十年以上も前に亡くなられている。）

成蹊高校のバレー部仲間で、毎年夫人同伴の旅行をした。
長野県　別所温泉　前列中央　京子　右　高木さん（1991年10月）

祖母との思い出

久木原香澄

ちょうど、あの日から一年が経ちました。あの日の出来事は正直ショックであんまり覚えていません。ただ覚えているのは祖母と病院で最後に会ってその日のうちに祖母が亡くなったという事実だけです。

思い出は沢山あります。本当に数え切れないくらいありすぎて、どの出来事をここに書けばいいのか分からないくらいです。

小さい頃の祖母との思い出の場所と言ったら、井の頭動物園です。特に象のはな子には祖母と行ったときには必ず会いに来ていました。日本で一番長寿だったはな子……おばあちゃんも私もその年寄り象さんが大好きでした。

小学校に上がってからの一番の思い出の場所は神代植物公園です。祖母とは桜はもちろん、バラ、ダリア、藤、百合、菊、ハナミズキなどといった沢山の花を一緒に見ました。特にバラは植物園の中で私と祖母にとって思い出深い花でした。ピース、聖火、ブルームーン、ジョンＦケネディ、夕霧、朝雲、クイーンオブ神代、マリア・カラス……これは全て祖母に教えてもらったバラの種類です。中でも私が一番好きなバラは「香澄」という私の名を冠した祖父の家にあるピンクのバラです。

中学校に上がってからの一番の思い出は一年の時の長野への上田旅行です。弟の莞爾と私と祖母の三人で「六文銭だらけだ」と笑いながら歩いたものです。できることならもう一度三人で旅行したいです。

祖母は、私の家族に沢山の思い出をくれた他の何者にも代えられない大切な人でした。祖母が亡くなった日からちょうど一年……。私にとっていろんなことがあった一年でした。けれど、祖母のことはよく考えていました。京都へ行った際や、ふとしたある時……。きっとこれから先もそんな感じで祖母を思い出すでしょう。特に今日のような晴れた真夏の空を見上げる時には……。

（純子の長女で京子の初孫）

書かれたのは、2018 年の中学三年時

京子おばちゃんの思い出

近藤敏彦

京子おばちゃんはいつも明るく活動的で、親戚一同が集まる場は、豊富な知識と絶えない話題で、常に賑やかな雰囲気に包まれていました。以下、私の父の姉である京子おばちゃんの印象に残る場面を記します。

平成２年の春、私が中学校を卒業し、初めて一人で神奈川の家から京都の祖父母の家を訪れた時のことです。たまたま京子おばちゃんも京都に来ており、市内観光に連れて行ってもらいました。そして南禅寺に行った際、繁人おじいちゃんが境内まで行かずに入口の門付近で待ってようとしたところ、京子おばちゃんが「せっかく来たのに、ここで待ってるなんて勿体ない！」と大声でおじいちゃんに愛情溢れる一喝し、一緒に絶景を見に行こうと励ます姿がとても印象的でした。

時は流れ平成23年の春、当時五歳になる私の娘・帆乃佳に、手作りの可愛いバッグを頂きました。思いがけないプレゼントに娘は大喜びし、作品の素晴らしさとともに京子おばちゃんの優しさに触れ、とても温かい気持になりました。

誰に対しても分け隔てなく接し、惜しみない愛情を注ぐ京子おばちゃんは、子世代から見て憧れであり、見習うべき存在です。学ばせて頂いたことを折に触れ思い出しながら、私自身、今後の人生に生かしていきたいと思います。

（近藤秀敏・長男）

京子おばちゃんの思い出

林 美穂子

私の京子おばちゃんの印象は「明るく優しくいつも元気な方」で、笑っているお顔が目に浮かびます。

小さい頃、京子おばちゃんが哲郎君や純子ちゃんのお洋服や本を兄・敏彦や私のために送ってくださいました。宅急便の箱が宝の箱のようで、ミニチュアの車の怪獣など色々なものが出てきて、わくわくしました。「大変なお手間をかけて送って下さっていたんだなぁ」と感謝の気持でいっぱいです。

父は京子おばちゃんに頭があがらないようで、京子おばちゃんから電話が来ると「参ったなぁ」という恥かし困り顔？ で電話に出ていたことを覚えています。今回の寄稿にあたり、父が書いた彼女の思い出を読ませてもらい、頭があがらない理由が分かり、なるほど！ と思いました。

2014年1月の私の結婚式には邦郎おじちゃんと一緒に笑顔で参列して下さり、とても嬉しかったです。小学生の頃に家族で吉祥寺のお家に遊びにいった時に、お庭で撮った写真を披露宴のスライド上映にも使わせていただき、大切な思い出の一枚になっています。また上映した写真には純子ちゃんの黄色い着物を着させてもらい、おすましして撮った七五三の写真もあり、披露宴でテーブルに挨拶に伺った際に「七五三の写真あったね、懐かしかった！」と喜びの声をかけて戴いたことを思いだします。

（近藤秀敏・長女）

姉との思い出

近藤博幸

姉京子は近藤家の長女として昭和13年3月23日、京都の山科で生まれました。まもなく父は山梨大学の教員として甲府に赴任し、私は昭和16年12月に四歳下の長男として甲府で生まれました。住まいは甲府一高のすぐ近くでした。

今でも思い出すのは終戦直前の昭和20年7月の甲府大空襲のことです。私が三歳で姉は七歳でした。夜中空襲警報と共に起こされ窓を開けた途端、目の前に飛び込んできたのは真っ赤になった夜空でした。空襲で家が焼かれた炎のあかりです。今でもはっきり覚えています。練兵場への道は避難する人で一杯でした。やっと着いた練兵場には防空壕として直径一メートル位のタコツボのような穴が沢山掘られていて私たちは橋を渡った相川の近くのタコツボに潜り込みました。

目の前の甲府一高の校舎が炎を上げて燃えて、近くの家からも炎が上がり夜空は真っ赤になり、後で母から聞いたところでは私はそのとき母に「ここで死ぬのか」と尋ねたそうです。それは大変な恐怖だったように思います。

姉は甲府市立朝日小学校を卒業し、昭和25年に山梨大学附属中学校に入学しました。姉の中学時代の思い出として記憶にあるのはよく家族で百人一首とか「坊主めくり」やトランプをして遊んだことです。むろん姉が一番年上なので、百人一首もよく覚えていて上の句を読んだだけで最も早く札を取っていました。住まいが山梨大学の官舎に移ったのは私が小学校五年の時で、姉は中学三年でした。

その後昭和28年に姉は甲府一高へ入学しました。中学時代は甲府一高の近くの家から山梨大附属中学に通い、高校時代は逆に山梨大構内の官舎から前に住んでいた家の近くの甲府一高に通うという面白い組み合せでした。

姉は高校時代にはよく本を読んでいました。家には日本文学全集があり、本を読むのは別に驚かないのですが、わざわざトルストイの『アンナカレーニナ』とかサッカレーの『虚栄の市』とかいう長編小説を買ってきていましたから、よほど読書が好きだったのではないでしょうか。おかげで私も後ほどそれ等の本を読む結果になりましたが、文中にはロシア語でややこしい人物の名前が多数出てくるので繰り返して読み返し苦労したことが思い出されます。

また期末試験の後などは、よく父と映画を見に行っていました。黒澤明の「羅生門」とか木下恵介監督の「カルメン故郷に帰る」などです。また、この頃からパズルが流行しだし、クロスワードパズルが好きで、よく応募もしていましたが、当選したという話はなかったようです。

昭和31年、上京し津田塾大学に学び英文科専攻でした。帰省時には決まって「草加せんべい」をおみやげに買ってきました。毎回なぜ同じ「草加せんべい」なのか、当時、不思議に思いました。よほど好物だったのでしょうが、聞かずじまいになりました。冬休みの帰省時には、特別に追加として必ずクリスマスケーキを買ってきてくれました。これは大変嬉しかった思い出です。

もう一つの思い出は、このころ私を東京上野の「ゴッホ展」に連れて行ってくれた事です。恐らく私が高校生の春休みか夏休みの時だったと思います。この展覧会は大変な人気で館内は大勢の人で混雑していました。そのあと二人で銀座に行き有楽町駅近くのレストランで「釜めし」なるものをご馳走してもらいました。「こんな面白いものがあるのだ」と初めて食べた「釜めし」の印象が強く残っています。その後、「銀ブラ」をしましたが、私は東京が珍しかったので、とにかく「何でも見てやろう」とどんどん歩きたがるので、姉から「そんなにいつまで歩くのか」と怒られた事も懐かしく思い出されます。

大学卒業後は外資系のアラスカパルプに就職しました。まもなく結婚して二人の子供の母親となり、孫も五人できました。将にこれから余生を楽しもういう時でした。本当に無念というほかありません。

今思えば「昔の事など、姉とゆっくり話をしたかったなあ」と残念です。姉との会話は歯切れがよく、また色んなことをよく知っていたので相談もし易く、楽しかった事を思い出します。

2017年の3月29日、京都の嵐山での母の七回忌の法事で逢ったのが最後となりました。非常に元気でした。あれから僅か四か月で旅立ってしまったというは本当に無念でなりません。心から冥福を祈るばかりです。

（近藤家の長男、京子の弟）

姉の思い出

近藤秀敏

姉京子とは五つ年が離れており、小さい頃の記憶は余りありません。その中で今もはっきり覚えている事柄をいくつか記します。

昭和29年頃、私が山梨大学附属小学校五年の頃でしたので、姉は甲府一高の一年生だったと思います。その日は甲府市内小学生写生大会が行われる日でした。場所は富士川小学校。甲府駅の南東側で我が家から歩いて40分ぐらいの所です。ところが出かける準備に手間取り遅れそうになってしまいました。

「困った、困った」と言っていた時「私が自転車で送ってあげる」と姉が言ってくれたのです。これは助かると私は姉の自転車の荷台にまたがり出発。姉はさっそうとペダルを踏んで、元城屋町～日向町～中央本線の踏切を越えて無事に会場に間に合いました。ほとんど下り坂なので二人乗でも苦にならなかっただろうと思います。でもその時の姉の頼もしかったこと。背中に光が射しているようでした。

昭和36年、私が高校三年の夏休みのことです。東京の駿台予備校の夏期講習を受けることになり、二週間ほど姉の下宿（荻窪から徒歩10分位）に泊めてもらいました。姉は朝夕の食事にお弁当まで作って世話してくれました。またある日は、姉に連れられて後楽園球場で都市対抗野球を観戦しました。当時姉はアラスカパルプという会社に勤めており、その関係で大昭和製紙の応援に狩り出されたのかと思います。私は初めて見るナイターの光景、8基の照明灯に照らし出されたグランドの美しさに感動しました。

昭和37年、私が大学一年の秋のことです。姉が伊勢志摩方面への旅行の途中に名古屋に立ち寄り、私の下宿に一泊しました、名古屋駅で出迎え、テレビ塔に上った後、当時の栄町（現在の栄）のデパートで入学祝としてテニスのラケットとカバーを買ってもらい、その後山本屋本店で一緒に味噌煮込みうどんを食べたのを思いだします。熱くてふうふう言いながら「美味しい、美味しい」と食べていたことを覚えています。この時頂いたラケットカバーは今でも持っています。出番は少なくなりましたが、姉との大切な思い出の品です。

このように姉には色々な面で面倒をみてもらいました。四人きょうだいで唯一の女子、しかも一番年長ということもあり、男勝りという印象があるかも知れませんが、上記のように私にとっては優しい姉でした。　　　（近藤家の次男、京子の弟）

姉（キョロン）への思い出

近藤清澄

平成30年2月28日付で義兄・吉田邦郎より「吉田京子追悼集作成のために、京子の少女時代の思い出など書いて頂ければ有り難いです」との旨の依頼がありました。するとその時、「そんな余計なことをしなくていいわよ！　また！」と、どこからともなく、あの懐かしい甲高い声が聞こえてきました。しかし、その声の主は姉ではなく、まぎれもなく私のものでした。

私と姉は九歳も年が離れていて、そのため姉の少女時代のことは、私がまだ小さすぎて、全く覚えておらず、どうしたものか困惑しました。そこで思いついたのが、父繁人が書いた『私の一生』です。久し振りに出して読みました。その中に姉について記述した個所があったので紹介します。

◎昭和13年3月23日、予定より二週間遅れてやっと長女誕生。めでたし、めでたし。名前は京都で生まれたので「京子」と命名。

　母の話では、父は国から滋賀県に派遣されたため、琵琶湖が大好きでした。そこで琵琶湖の古名、鳰の海（にほのうみ）にちなみ鳰子（にほこ）という名前も候補にあがったが、母文子が反対したそうです。

◎同年9月、大津市錦織（近江神社の西側で現在大津京跡の石碑あり）に住居を構えました。買物は電車で大津の街まで行かなければならないところです。しばらくすると運転手や車掌さんが京子の顔を覚えてくれて、アイドルとしてかわいがってくれたそうです。田舎なればこその出来事です。

◎昭和16年4月吉日、山梨高等工業学校（現山梨大学）への赴任のため午前八時過ぎ三人で大津駅から東海道線で甲府に向かった、当時は新幹線もなく富士駅で身延線に乗り換え、甲府駅着は午後六時過ぎ。辺りは薄暗くなり心細くなった。住居は甲府市袋町一五番地。なお山梨への赴任の決定は一か月前の三月でした。ここで両親から聞いた姉にまつわるエピソードをひとつ。

家ではまだ山梨行きは内緒でしたが、姉は両親の会話や様子から気配を察して、一人で隣家に行き、小母さんに「もう、ここに居ないよ」と打ち明け、びっくりした小母さんは、すぐ確認に走って来たとか。三歳でそんなことをするとは……。本当におませだったようです。

私は小学生のころから野球が好きでした。姉に野球を見に連れて行ってもらったことを覚えていますので、次に幾つかを紹介します。

姉が高校三年で私は小学三年のとき、甲府一高の応援に行きました。内野の応援席には行かず外野の木陰でゆっくり観戦しました。当時の応援団長は羽織・袴にたすき姿で、はだしに高下駄をはき黒の帽子にはちまき、白い手袋をはたバンカラ姿で格好がよかったです。現在もその伝統は引き継がれているようです。甲子園の春の選抜大会に、二十世紀枠で母校が出場したら応援に行くのですが……。

姉が大学三年で私が小学六年の時は、後楽園球場に巨人対国鉄の試合を観戦に行きました。当日は超満員でやっとのことで中に入れましたが外野からの立見でした。一点を争う熱戦で金田投手の活躍で国鉄が勝ったと記憶しています。ホームランも初めて見て楽しかったです。それから甲府への帰りの汽車で、名物の笹子餅を買ってくれました。汽車の窓を開けて売り子から買うあの風景は懐かしい。姉は東京から甲府の家に帰ってくる時は、いつもお土産に笹子餅を買ってきました。おいしかったです。

日付は定かではないが、姉と甲府の映画館に西鉄の投手「稲尾物語」の映画を見に行きました。日本シリーズで巨人に三連敗したあと、四戦目は稲尾自ら本塁打を打って西鉄が勝ち、その後も連投して四連勝し、逆転日本一の立役者となった成功物語です。当時、「神様、佛様、稲尾様」と囃し立てられました。

その後、姉によく世話をしてもらったのは大学時代でした。結婚した姉は武蔵野市吉祥寺に住んでいて、同じ吉祥寺にある成蹊大学に入った私は、四年間三鷹で義兄（邦郎）の親戚、降旗家に下宿をさせてもらいました。吉祥寺と三鷹は近いため、大学の帰りによく立寄り、世話をしてもらい、大変ありがたかったです。

父は昭和42年4月、26年間務めた山梨大学を退職し京都の立命館大学に移りました。一方、私は大学卒業後、運良く京都府に就職し、同地で結婚、双子の女児の父親となりました。家も岩倉三宅町にある親の隣りに構え、そのため姉は年に何度も京都に沢山のお土産を持って来てくれました、私の子供たちとも、近所の三宅八幡で鳩の餌をやったり、大宮公園でゴーカートに乗せて遊んでくれたりしました。

京都に来たときは、いつも最新のガイドブックを買って事前に拝観場所をチェックしていました。なお一度行った所は絶対に覚えており、京都観光文化検定試験の一級合格は間違いなしです。京都に住む私以上の京都通でした。

しかし楽しいことばかりではありませんでした。よくもめて私とも大声で喧嘩もしました。その時に、キョロン（誰が、いつ、どんな理由で命名したか不明。ただキョは京子の京にウを取ったものだが、ロンは分かりません）曰く、「これは地声なのでしょうがないわよ！」と、とにかく甲高い声でした。

両親が亡くなった後も法事や墓参りでよく京都に来ました。地下鉄烏丸線国際会館駅近くのグランド・プリンス・ホテル京都を定宿としていました。

平成28年12月2日にも、姉夫婦は墓参りに京都に来ました。師走になったとは言え暖かく、まだ紅葉が少し残っており穏やかな日でした。墓参りの前に私も一緒に特別公開をしていた旧三井家下鴨別邸（重要文化財）と立命館大学近くの等持院に行きました。旧三井家下鴨別邸の最上階の部屋は十畳位と狭く、一度に沢山の人が入れず、七〜八人ずつに順番に入り、ガイドの説明を聞きながら真正面に見える東山の大文字の素晴らしさには感激しました。昼食は、もちろん迷わず姉の好きなニシンそばでした。「これを食べないと京都に来た気がしないのよ」と、いつも喜んで食べていました。

平成29年3月29日、母の七回忌の法要が姉の最後の京都となりました。みんな高齢になり、全員が一同に会しての法事は今回で区切りにしようと事前に決めておいたのです。

精進落としの会場は私に一任されたので、墓地からも近く風光明媚な嵐山の料亭「熊彦」にしました。屏風で飾られた二階の部屋の窓からは渡月橋が見渡されるよいところでした。予定通り四組八人（姉夫婦、弟達三組の夫婦）が全員元気で集まり、豪華な京料理に場は大いに盛り上がりました。帰り際、あの辛口の姉からお褒めの言葉をもらいました。まさか、その四か月後にあの世に行くなんて、思いもよりませんでした。本当に残念です。　合　掌　　　　　（近藤家の三男、京子の弟）

亡くなる年の姉とのメール

平成29年1月より姉とメールのやりとりを始めました。私に送信されてきた全てのメールを紹介して、私の姉への思い出とします。

1月12日

メールありがとうございました。皆様おそろいで新春をお迎えのご様子、何よりとお慶び申し上げます。我が家では、1月2日に哲郎一家、純子一家が全員そろってやって来ました。総勢十一人の賑やかなお正月でした。子供たちも大きくなって、放っておいても自分たちで好きに遊べるようになり、楽になりました。

今度お会い出来るのは、3月29日（水）でしょうか？　孫たちの春休みの計画もありますので、法事の日時を確認させて下さい。これから寒さが厳しくなるようです。どうぞお元気でお過ごしください。

1月16日

寒中お見舞申し上げます。京都の雪には驚きました。昨日は女子駅伝をテレビで見ていましたが画面は雪で選手の姿はかすんでしまって大変でしたね。京都チームは頑張りましたね。大雪の写眞、素敵に撮れましたね。ありがとうございます。

東京は冬晴れの青空、遅ればせながら初詣に深大寺へ出かけ、隣接する神代植物公園の臘梅（ろうばい）と早咲きの梅を見てきました。温室のベゴニアとラン展は春を先取りしているようでした。公園は寒いので人もまばらでかえってよかったです。法事の件は博幸君の連絡をお待ちするといたしましょう。では寒い毎日、お風邪など召しませぬように！

1月18日

メールありがとうございました。カレンダーと共に大分の博幸君から連絡がありました。早速、ホテルへ予約しようとしたところ、3月28日（火）は満室でした。そこでＪＴＢへ行って予約してきました。3月28日から二泊三日でＯＫです。（グランドプリンスホテル京都）まだまだ先のことですが、これで安心です。

深大寺と神代植物公園へは、母上とは何度もご一緒して名物深大寺蕎麦を食べて来ました。臘梅、ダルマ市、紅葉狩りと楽しかったです。吉祥寺からはバスで30分のところです。我が家では植物公園は年間パスポートをもっており、よくお蕎麦をたべに行きます。お蕎麦屋さんは20軒ほどあって、それぞれ贔屓（ひいき）の店があるようです。私は50年以上前、まだお蕎麦屋さんが深大寺門前に二軒しかなかった学生時代の頃にも行ったことがあります。3月29日（水）には、みんな揃ってお会いできますように！

2月5日〈吉田智志君のこと〉

2月3日（金）筑波大学附属中学の入試があり、2月5日（金）合格しました。井の頭線で六年間通います。お知らせまで

4月12日

メール＆写真ありがとうございました。4月3日に六文銭の上田城址公園へ純子の子二人を連れて行って来ました。香澄（中二）と莞爾（小六）は北陸新幹線に大喜びでした。信州の春は遅く、梅が満開で桜はまだまだでした。莞爾が蕎麦アレルギーなので信州蕎麦は食べられず残念でしたが、二人とも楽しい一日だったようです。一万歩以上歩きまわって来ました。全員元気に帰宅しました。上田の街は「六文銭」一色でした。次は松代城址にでも連れて行こうかと思いました。

4月13日〈桜のこと〉

4月2日（日）

成蹊桜祭に行って来ました。大学構内の桜は満開で模擬店も出て賑やかでした。キャンパスには、建物が増えて昔に比べて狭くなったように思いました。ラグビー場はスタンドも出来て、人も少なくて桜ものびのびとして見事な眺めでした。

4月8日（土）

智志君の入学式は土曜日で、哲郎も行く事が出来ました。桜も満開でよかったです。今日は桜が散り始めていますが、まだきれいです。我が家の垣根のツツジが咲き始めました。草も伸びてきたので、明日は草取りです。金柑が熟したので収穫してジャムを作ります。ジャムは冷凍保存して一年中食べています。　阪神タイガースは私も応援しますが、投手が頼りないと思います。交流戦になると更に大変では……。

5月4日　清澄様

お誕生日おめでとうございます。古稀を迎えられ、ますますお元気でお幸せな毎日でありますようにと、お祈りもうしあげます。

5月5日

再度のメール恐れ入りました。5月5日付けのメール確かに拝受いたしました。連休に哲郎一家が来て、一緒に小金井公園へ行って来ました。元気な孫たちのペースについて行くのは大変でした。子供たちは、江戸建物園では昔の井戸・竈（かまど）や農機具などをめずらしそうに見ていました。帰りに我が家に寄って夕飯を食べて行きました。楽しい一日でした。忙しくしておりまして、メールのお返事もせずに失礼お許し下さい。今年の阪神タイガースは強いですね。テレビ中継のない日は、ＩＰＡＤで見て応援しています。このまま勝って行けるとは思われませんが嬉しいですね。庭はツツジとバラが咲いてきれいです。草取りも大変で、連休中も頑張りましたよ。ゴミ収集も休みなしで来てくれますので助かります。まもなく「葵祭」ですね。季節は夏へ向かいます。どうぞお元気で！

6月5日

暑くなってきましたが、お元気ですか？

緑に誘われて夫婦で甲府に行って来ました。三鷹から特急「かいじ」号で一時間半です。サドヤのレストランでランチを食べ、武田神社へ。バスの中は中国人が多くて驚きました。山梨大学のキャンパスを歩いていると、ウグイスが鳴いていました。校庭に昔の家はなく、テニスコートにも建物が。八幡宮にお参りして昔の官舎は、と見ましたら、何とデパートに変わっていました。南側の細い道だけは昔のままでした。

石和温泉に泊り、コマツガーデンにバラを見に行きました。バラ園のオーナーは武蔵野バラ会にも属していて、お茶を頂きながら話に花が咲いて、楽しい時間を過ごすことが出来ました。甲府駅前の「奥藤」でお蕎麦を食べて、バスで一高へ。辺りの景色はすっかり変わって、「袋町公園」はガソリンスタンドと広い駐車場に、「万太商店」は読売新聞販売店になっていました。中沢自転車屋さんと内田歯科医院だけが記憶のまま残っていました。住居表示も、袋町が美咲何丁目になっていました。美咲神社にお参りして、バスで新紺屋から武田通り経由で、甲府北口へ戻りました。暑かったので、予定変更して早めに帰宅しました。60年ぶりのセンチメンタルジャーニーでした。

☆京 子 年 表☆

昭和 12 年（1937）2月 1 日	父繁人、母文子が結婚
13 年（1938）3月 23 日	滋賀県大津市錦織で出生
16 年（1941）春	父・繁人の山梨高等工業学校への赴任のため甲府市へ転居
19 年（1944）4月	甲府朝日小学校に入学
20 年（1945）7月	甲府大空襲にあう。8月に終戦。
23 年（1948）4月	山梨高専付属小学校に転校
25 年（1950）3月 4月	山梨大学山梨師範付属小学校卒業（卒業時の成績は9科目、28 評価のうち「非常によい」27「よい」1 山梨大学付属中学校入学
28 年（1953）3月 4月	同校卒業 山梨県立甲府第一高等学校入学 全校 400 名のうち女子 65 名
31 年（1956）3月 4月	同校卒業 津田塾大学英文科入学（入学時大学で一番若い学生）
35 年（1960）3月 4月	同校卒業 アラスカパルプ株式会社入社
37 年（1962）11月 6 日	吉田邦郎と結婚
39 年（1964）10月 3 日	長男哲郎誕生
43 年（1968）6月 17 日	長女純子誕生
47 年（1972）7月 9 日	義父七太郎死去 (三光純薬社葬)
49 年（1974）4月	夫妻で初の海外旅行（パリとローマ）
55 年（1980）8月	哲郎、世界ジュニアチェス選手権大会参加のためフランス・ルアーブルおよ　びドイツ・ドルトムントに赴く。ドルトムントには京子が付きそう。
59 年（1984）6月 17 日	義母ノブ死去

平成 6 年（1994）3月	夫邦郎、日本航空（株）リサーチセンター（国際室調査部）次長で退職
平成 29 年（2017）7月 27 日	逝去　戒名　祥寿院讃光妙京大姉

取得資格・感謝状・賞状等

古流いけばな教授	吉田理京	
古今流真多呂人形教授	吉田真梨花	昭和 46 年 7 月
感謝状（日本赤十字社）	吉田京子	平成 28 年 10 月

書道ほか賞状

昭和 25 年 10 月	書道展褒状	山梨県芸術祭委員会
昭和 26 年 1 月	書道展特選	山梨大学 学友会
昭和 27 年 1 月	書道展銅賞	同　上
昭和 27 年 10 月	習字　銀賞	山梨大附属中　展覧会
昭和 28 年 3 月	皆勤賞	山梨大附属中学校

吉田邦郎　編

付記

夫邦郎は平成6年4月～平成 16 年（2004）3月まで、関東学院、東洋大学、湘北短期大学等で非常勤講師（国際航空論、空運論、運送論、流通経済論等）を勤める。

平成 16 年以降　夫婦で国内・海外旅行と趣味に生きる。

また長年のライフワークだった祖父の評伝『忘れられた宗教哲学者 斎木仙酔』を平成 25 年に刊行、更に同人詩誌「とんぼ（文治堂書店）」において続編を連載する。

あとがき

やっと京子の追悼集が出来上がる。3年の間やり残した宿題のように私の心に引っかかっていた。この間に文治堂書店・勝畑さんには、京子の寫眞の選定・年代の特定、配列などに大変な労力をおかけした。

そもそも私は基本的に文字人間で、寫眞に余り興味を持っていない。この追悼集も当初の私の心積もりでは、京子と親しかった方々の追悼文に少しの寫眞を加えたものを、と考えていた。ところが勝畑さんは、まず京子の誕生から始まって、彼女の青春時代までを彼女の寫眞で埋めることから始めた。

今、出来上がった第一章「誕生から卒業まで」に載っている寫眞を見ると、多くはとにかく明るく笑っている。晩年の彼女を少し見知っていた勝畑さんは、それだけで彼女の本質を見抜いて、そのような寫眞を選んでくれたのだ。一方54年間も夫婦として暮らしてきた私は、日常生活の何気ない会話の中で彼女が稀に洩らした両親や弟たち、親しい友人達との出来事の幾つかを覚えてはいたが、基本的には一緒になる前の彼女をほとんど知らないことに気がついた。

脳科学の用語に「エピソード記憶」という言葉がある。「個人が経験した出来事に関する記憶」のことで、私には彼女と暮らした54年の歳月に溜まったエピソード記憶が山ほどあり、それは76億人の世界の人々の中で私と彼女しか知らない事柄であり、私の関心はこちらばかりに向けられていた。一方、「誕生から卒業まで」の彼女の時間は24年余りと短く、しかも私の知っていることは僅かである。

編集者としての勝畑さんの力量を信頼してはいたが、当初、第一章「誕生から卒業まで」に精力を注ぐ彼に、知らない幼少時の些細なことなどを聞かれ、それに的確にこたえられない故に苛つき少々不満だったことを思い出す。しかし出来上がりつつある第一章を見て考えが変わった。「エピソード記憶」は音楽や映像などに触発されて思い出すことが多い。それに青春時代は人の性格形成に決定的に大きな影響を与える時期だ。

この寫眞という映像による追悼アルバムに網羅された笑顔の京子を見て、頁をめくるごとにきっと多くの方々に「世界中で彼女と『私』だけの楽しかったエピソード」を思い出して頂けるものと信じる。　　　(2021. 07. 31)

編著者略歴

吉田邦郎（よしだ　くにお）

1934年、東京都杉並区に生れる。

成蹊高校を経て一橋大学卒。

追悼アルバム　京子は今も私の心に

発　行　2021年9月10日

編著者　吉田邦郎

監　修　近藤博幸

近藤秀敏

近藤清澄

発行者　勝畑耕一

発行所　文治堂書店

〒167-0021 杉並区井草 2-24-15

E-mail: bunchi@pop06.odn.ne.jp

URL: http://www.bunchi.net/

郵便振替 00180-6-116656

編　集　具羅夢

印刷製本　㈱いなもと印刷

稲本修一

〒300-0007 土浦市板谷 6-28-8

ISBN : 9784-938364-526　（2500円・税別）